D1390272

Le cœur sauvage

CINDY GERARD

Le cœur sauvage

Collection *Passion*

éditionsHarlequin

*Cet ouvrage a été publié en langue anglaise
sous le titre :*
STORM OF SEDUCTION

Traduction française de
HERVÉ MALRIEU

HARLEQUIN®

est une marque déposée du Groupe Harlequin
et Passion® est une marque déposée d'Harlequin S.A.

Originally published by SILHOUETTE BOOKS,
division of Harlequin Enterprises Ltd.
Toronto, Canada

Toute représentation ou reproduction, par quelque procédé que ce soit, constituerait une contrefaçon sanctionnée par les articles 425 et suivants du Code pénal.
© 2004, Cindy Gerard. © 2005, Traduction française : Harlequin S.A.
83-85, boulevard Vincent-Auriol, 75013 PARIS — Tél. : 01 42 16 63 63
Service Lectrices — Tél. : 01 45 82 47 47
ISBN 2-280-08400-7 — ISSN 0993-443X

En s'enfonçant dans la forêt odorante, Tonya Griffin remercia le ciel d'avoir retrouvé la trace de Damien… et pria pour que celui-ci ne soupçonne pas sa présence.

Au nom de l'amour, une femme amoureuse pouvait commettre des actes répréhensibles — impardonnables, même. Eh bien, elle était amoureuse.

Depuis qu'elle l'avait vu pour la première fois, une dizaine de jours auparavant, Damien avait capturé son cœur. Depuis, elle cherchait désespérément à l'apercevoir de nouveau.

Au nom de l'amour, elle se permettait même d'abuser de son insouciance en s'introduisant dans son intimité…

Oui ! Elle le voyait, c'était bien lui ! Elle régla l'objectif de son appareil photo en fonction de la luminosité de septembre et le dirigea vers lui.

— Ça y est, je t'ai, espèce de monstre sans cœur ! murmura-t-elle, contournant avec précaution un pin qui s'interposait entre elle et lui.

Elle se hâta de prendre un maximum de clichés avant le coucher du soleil, avant que n'éclate l'orage annoncé par la météo et — surtout — avant qu'il ne devine sa présence et ne disparaisse de nouveau. Il détesterait se faire prendre, fût-ce en photo. Mais il ne s'était rendu compte ni qu'elle l'avait suivi, ni qu'elle le photographiait. Enfin, pas encore !

— Pardonne-moi, Damien.

Elle actionna le zoom, et ce rapprochement la fit frissonner malgré la chaleur de l'été finissant. Il était vraiment magnifique.

Du haut de ses deux mètres, son regard d'obsidienne — aussi sombre que la luxuriante toison qui lui couvrait la poitrine — fouillait la forêt de pins mêlée de frênes et de bouleaux.

— Alors, beau ténébreux dangereux, murmura-t-elle avec un sourire amoureux, tu te crois le maître de l'univers, n'est-ce pas ?

Soudain, il eut un mouvement brusque et, avec un sourd grognement, fixa les yeux dans sa direction.

— Oh là là !

Elle abaissa vivement l'objectif, retenant son souffle.

Maintenant, c'était elle qui se trouvait traquée. Elle sentit son cœur s'emballer et lui marteler les oreilles, tout comme, à une centaine de mètres de là, les eaux du torrent cascadant contre les rochers.

Dangereux.

Ce mot ne cessait de résonner dans sa tête alors même qu'elle se hâtait de prendre un dernier cliché.

Son rugissement de colère retentit comme un coup de tonnerre annonciateur d'orage, ébranlant la forêt. Complètement immobile, autant dire clouée sur place, Tonya le vit s'élancer vers elle à toute allure.

C'était lui qui faisait la loi ici, elle était allée trop loin. Sans aucun doute sa dernière heure était-elle arrivée, et personne ne s'apercevrait de sa disparition avant plusieurs semaines ! Dans sa panique, elle éprouva une pointe de regret à la pensée de toutes les choses qu'elle avait voulu faire dans sa vie et auxquelles elle devait renoncer à jamais.

Puis, comme il ne ralentissait pas son allure, au contraire, elle cessa complètement de penser. Sa respiration se bloqua, son cœur résonna sourdement à ses tempes, elle se raidit dans l'attente du choc... Et puis soudain, inexplicablement, son futur bourreau s'arrêta net, lui jeta un dernier coup d'œil et fit demi-tour.

L'air des montagnes retrouva enfin le chemin des poumons de Tonya lorsqu'elle le vit disparaître dans un taillis de pins et de bouleaux.

Encore paralysée par l'effroi, elle s'appliqua à détendre son abdomen douloureusement noué et à s'empêcher de serrer convulsivement son appareil.

Ses lèvres tremblantes esquissèrent un rictus, et elle laissa échapper un petit rire.

— Il m'aime ! murmura-t-elle en reprenant la direction de la cabane.

Ce ne pouvait être que de l'amour ! se répétait-elle en chemin, les jambes encore tremblantes. S'il ne l'aimait pas, elle ne serait déjà plus de ce monde !

Bientôt, la petite cabane de rondins nichée dans sa clairière se dessina devant elle, et elle adopta une allure de jogging.

En dépit du danger auquel elle venait d'échapper, la joie l'inonda à l'idée d'avoir capturé l'insaisissable Damien — du moins sur pellicule. Et en pied, par-dessus le marché : l'intégralité de ses deux mètres !

Incontestablement, c'était le plus grand, le plus beau, le plus sauvage des ours noirs du comté de Koochining. Et pendant quelques instants — seulement quelques instants — il lui avait appartenu.

*
**

Incroyable ! marmonna Web Tyler.

Tonya Griffin venait de surgir à la lisière de la forêt et était passée devant lui en riant toute seule, sans même lui adresser l'aumône d'un regard !

Du moins, il supposait qu'il s'agissait de Mlle Griffin.

Il ne la connaissait que grâce à un cliché illustrant un article sur la célèbre photographe animalière, où on la voyait au travail dans quelque partie reculée du globe. Son travail, par contre, il le connaissait bien : il suffisait pour cela d'avoir feuilleté les magazines spécialisés. Personne ne songeait à contester son immense talent, récompensé par de nombreux prix.

Oui, cette jeune femme était la meilleure... Et c'était précisément pour cela que Web s'était aventuré sur ces terres inhospitalières du Minnesota, s'arrachant à son lit et à la civilisation dès les premières lueurs de l'aube, afin de lui faire signer un contrat d'exclusivité avec les éditions Tyler-Lanier.

Depuis, les choses n'avaient cessé de se dégrader.

Tout d'abord, il s'était aperçu que le jet de sa compagnie avait déjà été affrété, si bien qu'il avait dû prendre un vol commercial. Pearl, sa secrétaire de direction, qui se trouvait être aussi sa marraine et la responsable de sa piètre situation actuelle, n'avait sans doute pas jugé utile de l'en informer.

Web voulait confier cette mission à son vice-président, Hawkins, ou à défaut à Price, l'un de ses cadres supérieurs. Mais Pearl avait soutenu qu'il était le seul à pouvoir convaincre Tonya Griffin de signer un contrat d'exclusivité, ce qui assurerait le lancement de leur nouveau magazine, *Les Grands Espaces*.

Le Minnesota du Nord se trouvait à des années-lumière de la suite de bureaux du groupe d'édition Tyler-Lanier, situés au cinquante-huitième étage d'un immeuble de la Sixième Avenue… Il avait bien tenté d'expliquer à sa zélée secrétaire qu'il était éditeur et non bûcheron, mais elle n'avait pas daigné prendre cet argument en considération.

« C'est justement l'éditeur qui doit prendre ses responsabilités ! Tu veux le chèque de C.C. Bozeman ? Alors, tu as besoin de Tonya Griffin. Si ses photos ne figurent pas dans le premier numéro des *Grands Espaces*, Bozeman n'achètera pas d'espace publicitaire dans le magazine. Et si nous perdons le soutien de Bozeman, nous sommes coulés avant même d'être à flot ! »

Il avait souligné le fait qu'il n'avait pas de temps à perdre dans un désert, mais cela n'avait suscité de la part de Pearl qu'un profond soupir et un bilan négatif de sa santé.

« Webster, tu es épuisé après tous ces changements qui ont accompagné notre fusion avec Lanier. Une petite pause ne pourra que te faire du bien. »

Il s'était donc laissé convaincre.

Une fois à l'aéroport de Minneapolis, il avait attendu trois heures interminables un coucou qui l'avait déposé, deux heures plus tard, à International Falls, une petite ville à la frontière avec le Canada. Naturellement, la seule agence de location de voitures ne disposait pas de berlines, et il avait dû se rabattre sur une petite cylindrée à bout de souffle.

Mais tout ceci n'était rien en comparaison de ce qui l'attendait.

On lui avait dit qu'il gagnerait en deux heures la réserve forestière où se cachait Tonya Griffin.

A condition qu'il ne se perde pas en route.

Il s'était perdu. Plusieurs fois.

Il avait même failli enliser sa voiture de location dans un nid-de-poule aussi étendu que l'Alaska. Depuis, le véhicule émettait des sons étranges — des sortes de *tick-whoosh-tick-whoosh* qu'il avait pris la décision d'ignorer. Qu'aurait-il pu faire d'autre, de toute façon ? Il n'avait aucun goût pour la mécanique. Ni pour la nature. Pas plus que le sens de l'orientation.

Quatre heures et trente-sept minutes plus tard, il se trouvait enfin là où il désirait se rendre. Enfin, façon de parler... Citadin jusqu'à la moelle, il ne pensait qu'à une chose : abandonner au plus vite ce pays à ses élans et à ses moustiques et retrouver son terrain d'action habituel.

En attendant, il se trouvait bel et bien cerné par une forêt de rochers et d'arbres — et par le silence le plus profond qu'il lui avait jamais été donné d'entendre. Et tout ce qui lui venait à l'esprit était la question suivante : Que diable était-il donc venu faire ici ?

Assurer sa survie.

En tout cas, c'était ce qu'il pensait. Sa survie professionnelle ou, du moins, sa réputation professionnelle.

Et pour cela, il lui *fallait* Tonya Griffin, que sa stratégie de marketing la séduise ou non.

Intrigué, il regarda la jeune femme qui s'éloignait à petites foulées. Comment avait-elle pu ne pas l'apercevoir ? C'était déconcertant en diable, et pourtant, il esquissa un sourire : si Tonya ne l'avait pas aperçu malgré son mètre quatre-vingt-dix, cela dénotait de sa part un pouvoir de concentration hors du commun !

Préférant ne pas se manifester tout de suite, il se contenta de la suivre des yeux tandis qu'elle filait vers une cabane en rondins.

— Elle n'a pas appris la politesse ? grommela-t-il lorsqu'elle eut refermé la porte derrière elle.

Il considéra gravement la cabane close.

« O.K., Tarzan, que comptes-tu faire à présent ? »

Il résolut d'attendre. Cette mission — dont dépendait sa réputation professionnelle — requérait évidemment la plus grande diplomatie.

— Avant tout, il faut que je sois aimable, marmotta-t-il.

A grand-peine, il résolut de se montrer tolérant à l'égard des excentricités de la jeune femme. Puisqu'il le fallait ! S'il se trouvait là, cela prouvait déjà qu'il avait fait un grand pas dans cette direction. C'était incroyable : il était prêt à tout pour obtenir la signature de Tonya Griffin au bas d'un contrat, alors que cette femme allait sans aucun doute s'avérer une casse-pieds record !

Il ramassa sa casquette qui venait de tomber et s'en servit pour écraser un moustique.

Là, pensa-t-il, sa tolérance avait des limites.

Le bruit d'une porte qui claque lui fit de nouveau porter le regard en direction de la cabane de rondins.

La responsable de son expédition dans le dernier endroit au monde où il aurait voulu mettre les pieds se tenait sur la dernière marche du perron et le fixait droit dans les yeux. Avec une hargne qui faisait pétiller ses yeux bleus d'éclats de cobalt.

— Vous vous trouvez sur une propriété privée.

Apparemment, songea-t-il, il se trouvait aussi en territoire hostile. Il parvint tout de même à sourire.

Il ne lui était jamais difficile d'adresser un sourire à une femme. Celle-ci n'avait pas la beauté outrageuse d'une star d'Hollywood, mais il n'était pas insensible à sa séduction de jeune walkyrie en symbiose avec la nature.

— Et vous, vous êtes sacrément difficile à trouver.

Lui adressant un regard soupçonneux, elle croisa les bras sur sa poitrine.

— Apparemment, pas encore assez ! rétorqua-t-elle.

Il s'avança vers elle, la main tendue.

— Je m'appelle Web Tyler.

Elle ne fit pas le moindre pas dans sa direction et ne lui tendit même pas la main.

— Je sais qui vous êtes.

— Parfait ! répliqua-t-il, nullement surpris. Cela va m'éviter de faire les présentations. D'autant plus que moi aussi, je sais qui vous êtes.

Elle l'observa quelques instants en silence avant de pousser un soupir exaspéré.

— Qu'est-ce que vous voulez, Tyler ?

« Me trouver n'importe où sauf ici, ma jolie. »

— Eh bien pour commencer, je ne refuserais pas une bonne tasse de café.

Prenant appui contre la rambarde de la véranda, elle désigna un vague chemin d'un mouvement du menton.

— Vous trouverez ça au café de la Dérive, proposa-t-elle sans même sourire. A une trentaine de kilomètres sur la route, à main gauche, vous ne pouvez pas le manquer. Je vous recommande leur tarte.

Elle avait raison. Il ne pourrait pas manquer le café de la Dérive, étant donné qu'il était passé quatre fois devant en cherchant son chemin. Dans cette situation ridicule — et devant l'air maussade de la jeune femme —, il ne put s'empêcher d'éclater de rire.

— Je me trompe peut-être, mais je crois avoir déjà rencontré des gens dont le sens de l'hospitalité était supérieur au vôtre.

14

— J'ai surtout le sens de mes obligations professionnelles, monsieur Tyler. Ma journée de travail va durer encore au moins cinq heures.

— Très bien.

De nouveau, il se força à afficher un sourire aimable tandis qu'elle descendait les marches du perron et filait comme une flèche devant lui pour la deuxième fois de la journée.

— J'attendrai jusqu'à ce que vous soyez disposée à m'écouter.

Elle s'immobilisa, tourna la tête dans sa direction, puis haussa les épaules.

— Comme vous voudrez.

Là-dessus, le laissant cloué sur place, elle s'en alla vaquer à ses affaires dans ce qui ressemblait vaguement à un enclos.

Le soleil de fin d'après-midi parait de reflets d'or sa toison blond pâle tressée en une natte épaisse qui lui descendait jusqu'au milieu du dos. Une multitude de mèches fines flottaient autour de son visage et sur sa nuque comme autant de fils de soie. Des brindilles et des bouts de feuilles y étaient accrochés, les faisant ressembler à des fils d'araignée. Sans doute y avait-il aussi pas mal de ces charmantes bestioles dans les parages, se dit-il avec un soupir réprobateur en se dirigeant en maugréant vers le perron.

Il s'assit sur la première marche et appuya les coudes sur les genoux. Il était fermement décidé à attendre son retour. Elle ne pourrait pas l'ignorer indéfiniment.

Pour sa part, il était bien incapable de l'ignorer. Chaque fois qu'il parcourait la clairière des yeux, ces derniers revenaient immanquablement se poser sur elle. Il finit par renoncer à faire autre chose que l'observer, mettant son intérêt sur le compte de l'inaction : quelle autre raison pourrait forcer un homme à regarder une deuxième fois une femme comme elle ?

L'inaction.

Ce mot résumait parfaitement sa situation. Cela ne faisait pas plus de deux heures qu'il se trouvait dans ce trou perdu, et déjà il mourait d'ennui. A cause des arbres, de la solitude, du calme infernal de la forêt. New York lui manquait terriblement — sa pulsation, ses lumières, son rythme endiablé…

D'ailleurs, il ne pouvait se permettre de s'absenter très longtemps des salles de rédaction. Même s'il était également impossible, à en croire Pearl, de ne pas venir *en personne* attirer l'inimitable Tonya Griffin dans les filets de son groupe de presse.

Malgré tout, il se surprit à l'observer avec intérêt quand elle sortit d'un petit hangar les bras chargés de récipients apparemment remplis de nourriture pour chiens. C'était ridicule. Comment un tel spectacle pouvait-il éveiller un seul instant sa libido ? Elle n'était *absolument pas* son type ! Difficile d'ailleurs de savoir de qui elle pouvait être le type.

Quel genre d'homme, se demanda-t-il, pourrait s'enticher de cette demi-portion qui préférait les carnivores à quatre pattes et portait des vêtements uniformément kaki — plus ou moins foncé, d'accord. Sans doute enfilait-elle parfois quelque sweat-shirt vert pâle, histoire de brouiller les pistes… Une telle prédilection pour les couleurs ternes aurait rendu un marine fier de son uniforme, par comparaison — surtout avec ces hideuses bottes de randonnée à lacets, couvertes de boue par-dessus le marché.

Se préparant à une longue attente, Web étendit les jambes, croisa les chevilles et s'accouda à la marche derrière lui.

En fait, songea-t-il, elle ne parvenait pas tout à fait à dissimuler sa féminité qui, en réalité, était très marquée. S'il plissait les paupières, il distinguait nettement un discret mais adorable tressautement sous les poches de son chemisier, tandis qu'elle s'affairait de-ci, de-là. Elle n'avait certainement pas l'intention de les mettre en valeur — ni pour lui, ni pour qui que ce soit —, mais elle avait de beaux seins.

Il pencha la tête, regarda longuement et décida que ses jambes n'étaient pas mal non plus, si l'on faisait abstraction des piqûres d'insectes et autres égratignures et de la boue qui lui maculait les genoux. Et puis, ce qu'elle croyait cacher dans un short trop large était de tout premier choix, il fallait bien le reconnaître.

Le mot *cacher* semblait la caractériser parfaitement, se dit-il. Même s'il ne la connaissait pas parfaitement, il avait entendu parler d'elle. Et ce qu'on lui avait dit au sujet de cette femme aux seins adorables et aux cheveux d'ange emmêlés prouvait qu'elle s'acharnait à cacher tout ce quil y avait de féminin en elle. Comme si elle s'était assignée la mission de fuir la civilisation comme la Jane de Tarzan ou Lily l'Amazonienne.

Bien entendu, il ne comprenait rien à ce genre de femmes. Ce qui ne voulait pas dire, encore une fois, qu'il ne lui reconnaissait aucun pouvoir de séduction. Elle avait de jolis yeux bleus qui devaient briller lorsqu'elle riait. Pour l'instant, il ne les avait vus que sombres, couleur de ciel avant l'orage. Elle avait les lèvres pleines, plutôt pulpeuses, le nez assez mignon, le front haut… avec un peu de maquillage, tout serait possible…

Les femmes que Web comprenait savaient, elles, se maquiller avec art, s'habiller chez les couturiers, arborer des coiffures sophistiquées. Il comprenait le langage des ongles finement manucurés, des talons aiguilles et des œillades appuyées, appréciait l'ambition et les règles du jeu des rendez-vous galants et des soirées mondaines.

Par contre, il lui était impossible de comprendre une femme parfumée à l'insecticide qui ne tolérait, en fait de raffinement, que l'appareil photo qu'elle tenait lorsqu'elle était passée devant lui sans le voir. Comment comprendre une femme qui, au lieu de chercher à lui plaire comme l'aurait fait toute autre à sa place, allait évidemment s'ingénier sans cesse à le contrarier ? Ce qu'elle avait déjà commencé à faire, d'ailleurs, et sans même le vouloir.

Une demi-heure s'était à peine écoulée qu'il perdait patience et se levait dans l'espoir de contraindre la jeune femme à un minimum de conversation. Il n'avait qu'une idée en tête : la faire signer au plus vite et quitter ces lieux.

Il avait entrepris d'épousseter son pantalon, lorsqu'il eut la sensation d'une présence derrière lui. Quelqu'un l'observait.

Comme, selon ses informations, personne d'autre que Tonya ne demeurait dans les parages, le nombre d'options se trouvait singulièrement réduit.

Il tourna la tête… Et se figea.

A moins de deux mètres se dressait un ours noir, assez grand et, apparemment, assez affamé pour ne faire qu'une bouchée de sa personne. Le mastodonte émit un grognement sourd, comme un roulement de tonnerre.

En même temps qu'il tendait tous ses muscles dans la perspective d'une fuite éperdue, un ordre contradictoire retentit :

— Ne bougez surtout pas !

La voix de son hôtesse récalcitrante était devenue très douce, très calme, et pourtant très grave. Pas plus que l'ours, il ne l'avait entendue s'approcher.

Et à présent, il n'entendait pas grand-chose d'autre qu'un grognement menaçant, ainsi que le battement du sang contre ses tempes. En fait, même si sa première impulsion avait été de fuir, il se trouvait littéralement cloué sur place. Découvrant ses énormes crocs et sortant ses griffes acérées, l'énorme animal prenait sa mesure de ses yeux de diamant noir, en reniflant bruyamment.

— Avez-vous de la nourriture sur vous ?

Sans quitter des yeux l'énergumène qui visiblement le considérait comme un apéritif acceptable, Web s'efforça de réfléchir.

— Non. Attendez ! Des chocolats à la menthe ! dit-il, se souvenant soudain s'en être procuré à l'aéroport.

— Sortez-les très lentement de votre poche. Surtout, pas de geste brusque. Maintenant, jetez-les à quelques mètres de lui. Parfait. Levez lentement vos mains, les paumes vers lui, pour lui montrer qu'elles sont vides.

Web suivit scrupuleusement les instructions. Le terrifiant animal renifla une dernière fois dans sa direction avant d'aller ramasser les bonbons. Avec une dextérité surprenante, il éventra le paquet, engloutit les chocolats et se dirigea pesamment vers l'un des récipients remplis de nourriture pour chiens que Tonya avait répartis dans la clairière.

Dès qu'il retrouva un peu de force, Web inspira profondément et, s'accrochant aux lambeaux de dignité qui lui restaient encore, réussit à sourire.

— Survivre dans la jungle, leçon numéro un ! dit-il d'une voix un peu faible en se tournant vers son hôtesse : ne jamais se placer entre un ours et son casse-croûte. A moins, bien entendu, que vous ne souhaitiez *être* le casse-croûte. Leçon numéro deux : en cas d'échec, la leçon numéro un ne sera pas expliquée une deuxième fois.

Cette plaisanterie le rasséréna quelque peu. En revanche, elle n'eut aucun effet sur Tonya.

L'air renfrogné, elle passa une nouvelle fois devant lui et gravit prestement les marches en pointant le pouce dans la direction de la « route ».

— Oscar n'est que le premier des nombreux ours qui viendront prendre leur casse-croûte avant le coucher du soleil. Ils ne sont pas tous aussi gentils. A votre place, Tyler, je partirais pendant qu'il en est temps. Vous connaissez la route qui vous ramènera à la civilisation.

Hébété, il fixa des yeux la porte qui venait de se refermer derrière elle. Puis, se passant la main dans les cheveux, il découvrit avec embarras qu'il tremblait encore.

— C'est fou ce que l'on s'amuse ici ! grommela-t-il en s'apprêtant à gravir à son tour les marches du perron, non sans omettre de vérifier d'un coup d'œil furtif que l'animal poursuivait bien sa marche pesante dans la direction opposée.

Non, il ne s'amusait pas. Depuis qu'il avait quitté New York, il avait tourné en rond au volant d'une poubelle sur roues et s'était perdu pendant des heures sur un territoire aussi étranger pour lui qu'une autre planète... Et ce, dans le seul but de rencontrer une militante en tenue de combat, laquelle avait à contrecœur empêché sa chair de citadin de nourrir celle d'un animal sauvage. En fait, son irritation, qui croissait régulièrement depuis le début de la journée, atteignait à présent son paroxysme. Pas seulement parce qu'il n'était pas dans son élément, ni parce que Mlle Griffin n'avait même pas eu la politesse d'écouter sa proposition, mais parce que c'était elle qui contrôlait la situation. Et ça, c'était très inhabituel lorsqu'il négociait avec quelqu'un.

Lui, son domaine, c'était les conseils d'administration, les dîners au Plaza, les alcôves, les marchés — haussiers ou baissiers… Il n'avait que faire de ces chemins de terre couturés d'ornières, de cette cabane de rondins, de ces arbres à perte de vue et de ces ours en chair en en os, pour l'amour du ciel ! Ni surtout de ce refus immédiat et catégorique.

Voilà ! C'était là, à son avis, l'erreur fatale de Mlle Griffin : il n'aimait pas qu'on lui dise non. Surtout sans lui laisser le temps de présenter sa proposition, et encore moins de développer ses arguments !

Même s'il n'appréciait guère la situation, il n'était pas près de rentrer chez lui. La donzelle prétendait savoir qui il était ? Si cela était le cas, elle saurait qu'il jouait toujours pour gagner !

Et le jeu était loin d'être arrivé à son terme.

Il trouverait le moyen de ramener Tonya Griffin à New York.

Il sourit même — de ce sourire qui conquérait autant de femmes que de votes lors des conseils d'administration — à l'idée d'arracher une à une les épines dont se hérissait l'ombrageuse photographe.

Se frottant mentalement les mains, il acheva de gravir les marches du perron.

« O.K., mademoiselle Je-ne-veux-pas-de-citadin-chez-moi, que la partie commence ! »

2.

Juste au moment où Web s'apprêtait à frapper à la porte de la cabane, son téléphone portable se mit à vibrer dans sa poche. Voyant sur l'écran le nom de la personne qui l'appelait, il poussa un soupir excédé.

— Oui, Pearl ? dit-il, s'armant de patience.

Il entendit la voix aiguë de Pearl lui demander s'il avait fait bon voyage et bien trouvé Tonya Griffin et se laissa tomber sur la dernière marche du perron.

Tandis que sa secrétaire lui vantait pour la centième fois les vertus de l'air pur et vif de cette belle région de lacs, lui recommandant à présent avec le plus grand enthousiasme de profiter de son séjour pour s'initier aux joies de la pêche, il s'efforça d'oublier à la fois Pearl et l'image que son miroir lui renvoyait tous les matins.

Il n'était pas sûr d'aimer davantage que Pearl son visage terne et creusé. Pourquoi une telle fatigue ? Sans doute travaillait-il trop. A trente-cinq ans, il avait dépassé tous ses objectifs financiers, et pourtant, il voulait encore plus d'argent... A moins qu'il n'ait, au contraire, perdu ses illusions sur le monde impitoyable des affaires.

Quoi qu'il en soit, il désirait autre chose. N'importe quoi... et il savait bien qu'il ne trouverait pas cette *autre chose* dans le Minnesota. Surtout pas en traquant une photographe aussi célèbre pour son mépris de la civilisation que pour ses clichés.

Une phrase du monologue de Pearl parvint à se frayer un passage jusqu'à son entendement :

— Je suppose que tu as entendu parler de Jimmy Lawler, du service comptabilité ?

Il imaginait sans peine sa secrétaire profitant de son absence pour régner à sa place, dans son propre bureau. Elle était près d'atteindre ses soixante-dix ans, mais n'avouait pas plus de cinquante-huit printemps. Avec ses yeux verts pleins de vivacité, ses cheveux auburn artistement coiffés et son maquillage impeccable, elle n'avait aucune difficulté à faire illusion.

— Quarante-deux ans ! dit-elle.

Elle s'interrompit pour s'assurer de l'attention de son interlocuteur.

— Il est mort hier. Crise cardiaque. Tu sais ce qu'il voudrait sûrement faire écrire sur sa tombe ? « Je regrette de n'avoir pas passé plus de temps à la campagne » !

Web pensa à Tonya Griffin, qui se terrait dans la cabane derrière lui.

— J'y suis, à la campagne, O.K. ? répliqua-t-il.

Parce qu'il vaut mieux céder, parfois.

Et parce que Pearl avait raison, en fin de compte. De toute façon, il lui fallait Tonya Griffin s'il voulait lancer son nouveau magazine.

— Cela ne te suffit pas ? ajouta-t-il avec une certaine hargne.

— Seulement si tu me promets de rester au moins quinze jours. Je veux dire, puisque tu es là-bas, ce serait dommage de ne pas en profiter ! Dans deux semaines, il sera encore temps de mettre en page les clichés de Tonya sans retarder la date prévue de l'impression du numéro 1.

Mon grand, j'ai glissé quelques dépliants dans ton sac de voyage. Tu les as trouvés ?

Bien sûr qu'il les avait trouvés ! Des photos sur papier glacé d'un chalet en pleine forêt à la frontière canadienne, de pêcheurs radieux exhibant leurs prises et leurs coups de soleil...

— Pour la dernière fois, Pearl, je déteste pêcher ! Surtout avec les moustiques qu'il y a ici. Ils feraient fuir les vampires les plus sanguinaires ! Et il y a aussi des ours, Pearl. De vrais ours avec de vraies dents et de vraies griffes, affamés de chair citadine et de chocolats. L'un d'eux a failli me dévorer il n'y a pas cinq minutes. Alors je rentrerai dès que j'aurai arraché l'accord de Mlle Griffin pour les missions que nous lui destinons.

— Quinze jours, pas un de moins ! insista Pearl d'un ton où se mêlaient affection et volonté de fer. Tu as de quoi te vêtir, après tout.

Web se passa la main sur le visage. Oui, de ce côté-là, il était paré. Pearl avait pris la liberté de faire une razzia sur le magasin de C.C. Bozeman et de lui faire livrer tous ses achats par coursier. La veille au soir, lorsque Web était rentré chez lui, un stock de vêtements de plein air l'attendait. Sans trop réfléchir, il les avait fourrés dans le sac marin flambant neuf de chez C.C. Bozeman.

— Une semaine, pas un jour de plus ! rectifia-t-il.

Car, après tout, c'était lui le patron, pas vrai ? Du moins lorsque Pearl lui laissait le loisir de le croire. Comme cela semblait être le cas, il se hâta d'ajouter :

— Mais je te jure que si tu dis un seul mot de plus...

— Marché conclu. Mais ne fais pas la fine bouche, Webster. Tu es sur place, n'est-ce pas ? Nous avons déjà accompli beaucoup en une seule journée !

— *Nous* n'avons rien accompli du tout, répliqua-t-il en redescendant machinalement les marches. Toi, de ton côté, tu as...

— ... réussi à faire bouger le plus inamovible des êtres, oui. Et, crois-moi, c'était épuisant.

Tout à fait d'accord.

Mais pas davantage que d'essayer d'entraîner à New York une jeune personne qui n'avait manifestement aucune envie de bouger d'ici.

Web, par contre, ne fit aucune difficulté pour grimper quatre à quatre les marches du perron lorsqu'un autre ours émergea de la forêt et se dirigea tranquillement vers une gamelle de nourriture.

Comment diantre pouvait-elle vivre ainsi ? Il préfèrerait de loin affronter un agresseur dans la rue. Au moins, on connaissait généralement les motifs de ces derniers : l'argent. Mais ces ours, on ne savait jamais ce qui pouvait les provoquer. Ils étaient capables d'attaquer un type parce qu'il avait des chocolats à la menthe dans sa poche !

Pearl pouvait faire une croix sur sa semaine de vacances. Il serait dans l'avion avant minuit, le contrat signé en mains.

Tant qu'il avait encore des mains...

S'efforçant d'ignorer que sa main tremblait, Tonya remplit sa bouilloire de cuivre toute cabossée au filet d'eau du robinet.

Web Tyler. C'était le dernier homme qu'elle s'attendait à voir ici. A voir où que ce soit, d'ailleurs. En fait, elle s'était fait une spécialité d'éviter les hommes comme lui.

Elle enflamma une allumette à la veilleuse afin de mettre l'eau à bouillir sur l'antique cuisinière à gaz.

O.K., rectifia-t-elle. Elle s'était fait une spécialité d'éviter Tyler, et non les hommes comme lui.

Petit-fils de Fulton Tyler, propriétaire des célèbres éditions du même nom basées à New York, Web Tyler était aussi son ancien employeur, et le responsable de l'une des expériences les plus embarrassantes de sa vie.

Elle jeta un coup d'œil en direction de la porte d'entrée et sentit battre son cœur à coups redoublés. Il fallait qu'elle surmonte le coup qu'il avait porté à son ego en ne la reconnaissant pas.

— Je n'ai rien d'extraordinaire. Pourquoi se souviendrait-on de moi ? grommela-t-elle en cherchant des tasses dans un minuscule buffet.

Ce faisant, elle aperçut son reflet dans la fenêtre au-dessus de l'évier et se sentit vaguement prise de nausée.

Douze ans. Cela faisait douze ans qu'elle n'avait pas revu Web Tyler. Etant donné qu'il éditait des magazines et qu'elle-même vendait ses clichés à des magazines, elle avait toujours su qu'ils se rencontreraient un jour de nouveau, malgré les efforts qu'elle déployait pour l'éviter. Elle avait même imaginé la scène de leurs retrouvailles. Souvent. Et cette scène imaginaire s'était toujours déroulée de la même manière : elle était impeccablement vêtue et maquillée — l'incarnation même de l'élégance et de la réussite professionnelle —, et la femme qu'elle était devenue frappait Web de stupeur.

De toute façon, il était déjà bien assez stupéfait comme cela, se dit-elle en ôtant une feuille de ses cheveux.

Une brindille vint aussi… Levant les yeux au ciel, elle s'essuya le menton et les joues avec un coin du torchon à vaisselle. Elle songea un instant à prodiguer le même traitement à ses jambes, mais jeta l'éponge : une journée entière dans un institut de beauté y suffirait à peine.

A regret, elle souleva du doigt un coin de rideau en vichy bleu délavé et jeta un coup d'œil sur le perron. Le dos voûté, l'air sinistre, Web parlait dans son portable. C'était exactement l'homme qu'elle essayait d'oublier depuis douze ans.

Seigneur, comme il était beau ! Les années avaient apporté de la profondeur à son regard et aux traits de son visage finement sculpté. Ainsi que de la virilité. Une virilité qu'à vingt ans il n'assumait pas encore totalement.

Il était arrivé à l'improviste, la surprenant dans un état négligé qu'un chat ne supporterait pas une seule seconde, et cela l'avait affectée au point qu'elle se terrait dans sa cabane comme une nigaude, elle qui, de toute sa vie, n'avait jamais refusé d'affronter qui que ce fût.

La bouilloire se mit à siffler, et elle se hâta d'éteindre le feu. Puis, inspirant profondément pour se donner du courage, elle se dirigea vers la porte.

De toute façon, il y avait fort à parier qu'il ne s'en irait pas sans avoir délivré son message. Et, à vrai dire, le premier instant de surprise passé, elle détestait l'idée d'avoir agi comme elle l'avait fait — plutôt lâchement.

Surtout, la curiosité prenait le dessus.

Que diable Web Tyler pouvait-il faire sur ces terres sauvages ? Lui, un magnat de l'édition, citadin jusqu'à la moelle, qui confiait toujours son travail à des sous-fifres qui eux-mêmes en engageaient d'autres pour le faire ! Pourquoi s'était-il donné tant de mal pour la trouver ?

Il monta vivement les marches et se rua sur sa porte… qu'elle choisit à cet instant d'ouvrir à la volée.

Il parut à la fois surpris et sur ses gardes.

— Eh bien, dit-il, bonjour de nouveau !

— Si vous pouvez vous contenter d'une infusion, dit-elle sans préambule, je vous en offre une tasse.

— Cela me convient.

Elle le transperça d'un regard signifiant « j'espère bien que oui ! » mais il ne fit que sourire, planté sur le seuil, ce qui la rendit nerveuse au point qu'elle tourna les talons.

S'efforçant de ne pas prêter trop d'attention au claquement de la porte qu'il referma derrière lui et au fait qu'il observait chacun de ses gestes, elle remplit les tasses d'eau chaude.

— Si je comprends bien, c'est ici que vous habitez, dit-il tandis qu'elle disposait les deux tasses sur une petite table chromée dont le plateau en Formica était rayé, ébréché et même brûlé en plusieurs endroits.

— Pour l'instant.

Prenant deux cuillers dans un tiroir grinçant qu'elle referma en le repoussant de la hanche, elle regarda Web parcourir lentement la cabane des yeux, la découvrant comme elle-même l'avait fait quelques semaines auparavant.

L'adjectif « rustique » convenait parfaitement. « Spartiate » également. Comme la plupart des cabanes forestières du Nord, elle était composée d'une seule pièce. La minuscule salle de bains avait été ajoutée bien après sa construction, à la fin des années 30.

Les années avaient paré les parois de pin noueux d'une couleur de miel brun, et le plancher — également de pin, et marqué de profondes éraflures —, d'une couleur chamois fauve. Le sol était partiellement recouvert d'un grand tapis natté — Dieu seul connaissait son âge — aux couleurs fanées grises, bleu pâle et rouille.

Le coin cuisine ou ce qui en tenait lieu était délimité par un pan de mur que l'on avait peint en bleu roi bien des années auparavant, et consistait en un petit évier en aluminium, un poêle à gaz ébréché et un vieux réfrigérateur des années 60 qu'il fallait faire dégivrer toutes les semaines.

Deux jours auparavant, Tonya avait disposé un bouquet de fleurs sauvages sur l'unique table. Elles avaient été fort jolies, mêlant les ors éclatants, les orangés foncés et les blancs immaculés. Mais aujourd'hui, elles rappelaient surtout à Tonya sa négligence. Tout comme le lit défait poussé contre le mur, utilisable comme divan en cas de besoin — ce qui était rarement le cas, puisqu'elle travaillait de l'aube au crépuscule et que les âmes s'aventurant dans ce coin perdu se trouvaient être plutôt rares…

En face, le petit poêle à bois en fer forgé, dont les braises amoncelées rougeoyaient déjà en prévision de la froideur de la nuit, reposait sur un carré de briques recouvertes de cendres.

O.K., cette cabane était spartiate. Mais elle possédait l'eau courante, l'électricité et le téléphone — lorsque les lignes fonctionnaient. Ce qui lui donnait à ses yeux l'allure d'un palais, en comparaison de ce dont elle avait parfois dû se contenter au cours de ses périples à travers le monde.

Naturellement, Web Tyler, habitué aux marbres italiens, aux tapis d'Orient et aux œuvres d'artistes raffinés, devait considérer cette demeure comme pire encore que le pire des taudis urbains.

S'installant sur une des trois chaises en Formica, Tonya entreprit d'ouvrir la petite boîte en fer-blanc contenant son infusion favorite.

— Camomille, menthe et cynorhodon, annonça-t-elle, les sourcils levés.

— Ce doit être... apaisant, dit-il enfin.

Ces mots dans la bouche de Web Tyler, et la tolérance un peu forcée avec laquelle il les avait prononcés, firent naître sur les lèvres de Tonya une ébauche de sourire qu'elle réprima.

— Comment m'avez-vous trouvée ? s'enquit-elle. Et pourquoi vous m'avez cherchée ?

Il plongea son sachet dans l'eau frémissante avec la dignité d'un gentleman anglais prenant le thé avec sa tante célibataire.

— Je ne vous ai pas trouvée, j'ai chargé ma secrétaire de le faire. C'est votre agent qui a mangé le morceau, ce qui nous amène à la seconde partie de votre question : je vous ai cherchée parce que j'ai du travail pour vous, si cela vous intéresse.

— Cela ne m'intéresse pas du tout.

A son tour, elle immergea son sachet et prit un morceau de sucre.

— J'ai déjà du travail, expliqua-t-elle.

Il se cala sur sa chaise, jambes croisées, et passa le bras par-dessus le dossier, dans une pose débordant d'assurance et de maîtrise. Dieu que la pièce était minuscule, tout à coup !

— Quels que soient vos émoluments actuels, je les double.

Cette fois-ci, elle ne chercha pas à dissimuler son sourire.

Il inclina la tête, la considérant avec suspicion.

— On peut savoir ce qui vous amuse ?

Elle prit le temps de remuer le sucre dans sa tisane avant de répondre :

— C'est amusant, parce que zéro multiplié par deux, c'est toujours zéro. Et parce que, si l'argent m'intéressait, je ferais des photos de mode, ou encore je travaillerais dans la publicité.

— Mais vous devez bien subvenir à vos besoins, n'est-ce pas ? Pourquoi fermez-vous votre porte avant même d'avoir entendu ma proposition ?

Elle but une petite gorgée d'infusion brûlante, puis plongea son regard dans le sien.

— Ecoutez, monsieur Tyler...

— Appelez-moi Web.

— Web, répéta-t-elle après un moment d'hésitation, se demandant combien de femmes s'étaient déjà trouvées, comme elle, bouleversées par le simple son de sa voix.

Une voix douce comme le velours, dont les années avaient encore enrichi les sonorités... Pourquoi ces mêmes années ne l'avaient-elles pas rendue plus avisée ?

— Si vous voulez me demander une série de clichés sur un sujet particulier, parlez-en à mon agent, il réglera les modalités avec vous s'il pense que cela doit m'intéresser. Je ne vois vraiment pas pourquoi vous ne vous êtes pas adressé à lui au lieu de faire tout ce chemin pour me voir personnellement.

— Ce n'est pas une série de clichés que je vous propose, mais un contrat de travail. Et si j'ai tenu à vous rencontrer, c'est parce qu'il s'agit d'un contrat d'exclusivité.

Elle sirota une deuxième gorgée de tisane. Se mêlant à celui de la camomille et de la menthe, le parfum de Web, richement épicé et cent pour cent masculin, éveillait tous ses sens.

Cela faisait si longtemps qu'elle n'avait rien senti d'autre que l'odeur des pins et celle de sa lotion antimoustiques ! Et plus longtemps encore qu'elle avait oublié la manière dont l'eau de Cologne de luxe interagissait avec la chaleur d'une peau d'homme.

Cela faisait bien trop longtemps qu'elle se trouvait sevrée de la compagnie d'un homme. Ce serait trop bête de laisser passer cette occasion... Hum ! Tout doux ! Que disait-il ?

— Je vous demande pardon ?

Il se rapprocha de la table et se pencha, promenant machinalement le pouce sur le rebord de sa tasse.

— Vous m'avez très bien entendu. Un contrat exclusif. Avec les éditions Tyler-Lanier. Parfaitement.

Elle détourna son regard de ses yeux — aux chatoyantes nuances de marron, de cannelle et de chocolat — et le porta sur ses mains, consciente à la fois de la force qui émanait de lui et de l'importance démesurée de sa proposition. Il fut un temps où elle se serait jetée dessus comme un léopard sur un mulot.

— Désolée, mais vous perdez votre temps. Je suis *freelance* et j'entends le rester. Je ne veux travailler en exclusivité pour personne.

Il fronça les sourcils comme s'il n'en croyait pas ses oreilles. Il n'y avait pas un seul photographe dans le monde libre qui n'aurait pas au moins réfléchi à sa proposition.

— Même si vous disposiez d'une autonomie totale ? répliqua-t-il d'une voix posée.

Puis, se penchant davantage, il ajouta :

— D'une totale liberté artistique ? De frais de fonctionnement illimités ? Le tout pour ce salaire annuel.

Il sortit un carnet d'une poche de sa saharienne flambant neuve et griffonna un chiffre. Puis il détacha la feuille de papier et la déposa sur la table.

Lorsqu'elle vit le nombre de dollars qu'il proposait, elle ne put s'empêcher de sursauter.

— Vous n'êtes pas sérieux.

— Aussi sérieux qu'une crise cardiaque.

C'était bien ce qu'il avait failli provoquer chez elle !

— Je ne comprends pas. Pourquoi autant ?

Web considéra attentivement la femme en treillis qui sirotait sa tisane en face de lui.

Elle s'était légèrement apprêtée, remarqua-t-il, ce qui laissait espérer qu'elle dissimulait un peu de coquetterie féminine sous sa tenue de commando. D'autant plus que l'esquisse d'une fossette — qu'il n'avait pas remarquée jusque-là — se dessinait sur sa joue gauche.

Il enregistra soigneusement ces deux informations dans son esprit. Elles pourraient s'avérer utiles plus tard, sait-on jamais ?

— Pourquoi ? Parce que vous êtes une excellente professionnelle, et je veux tout ce qui est excellent. Je vous fais une proposition fabuleuse, Tonya, je le sais parfaitement.

La voyant froncer davantage les sourcils, il pesa les options qui lui restaient.

Quelles informations pouvait-il lui fournir afin de ne pas perdre son peu d'avantage ?

Selon lui, le caractère ombrageux de Tonya Griffin dissimulait une nature franche, sans détour ni faux-semblant, peu habituée aux subtilités des négociations. Néanmoins, elle était aussi capable de clore toute discussion s'il s'essayait à ce petit jeu.

Il décida de suivre son intuition et de lui dire tout ce qu'il lui était utile de savoir.

— Vous aurez un contrat d'exclusivité avec Tyler-Lanier et travaillerez pour un nouveau magazine que nous espérons lancer dans les six mois, *Les Grands Espaces*. Chaque numéro comportera un dossier principal de photos de Tonya Griffin, et seulement de Tonya Griffin.

La jeune femme se renfrogna encore davantage, ce qui, étrangement, ne fit qu'attendrir Web.

Elle faisait tout son possible pour avoir l'air sévère, ce qui n'allait pas du tout avec la douceur de ses yeux bleus et la finesse de ses cils. Sans parler de sa peau légèrement hâlée, qui semblait si douce malgré les traces de boue.

— Je ne comprends toujours pas.

Ses sourcils finement courbés se rejoignirent, puis elle ajouta :

— Je pourrais vous citer une demi-douzaine de photographes qui ont tous plus de talent et d'expérience que moi, et qui assureraient davantage de prestige à votre magazine.

O.K.. Elle ne cherchait pas non plus à se donner des airs de diva. Cela attendrit Web encore davantage et l'incita à puiser dans ses propres réserves de séduction.

— C'est vous que je veux, et pas un autre. Je n'espère pas de prestige de vous, Tonya. Tyler-Lanier a déjà tout le prestige nécessaire. C'est votre regard qui m'intéresse, la manière dont vous voyez les choses. J'aime votre travail, voilà pourquoi je vous ai choisie.

Pour toute réponse, elle se leva et alla ouvrir la porte. Puis, enfonçant les mains dans ses poches arrière, elle croisa les jambes et se mit à fixer l'horizon.

Sa posture soulignait la finesse de ses longues jambes. Ses mains dans les poches de son short trop ample étiraient le tissu au point de faire ressortir la courbe délicate de

35

ses fesses. Il sentit monter en lui une surprenante bouffée de désir.

Ce n'était qu'une sorte de garçon manqué revêche en treillis verdâtre, se sermonna-t-il, et même dans ses rêves les plus fous elle ne jouerait jamais un rôle romantique. En tout cas, il se refusait absolument à lui en laisser jouer un en la circonstance !

Et cela l'agaçait d'autant plus de s'être, depuis une heure, laissé aller à échafauder maints scénarios qui les impliquaient tous deux dans des scènes d'amour échevelées.

Folies que tout cela. Elle ne lui plaisait pas. En aucune façon !

Et si C.C. Bozeman, son principal commanditaire, ne s'était pas mis en tête de n'acheter des espaces publicitaires dans *Les Grands Espaces* que si Tonya Griffin avait l'exclusivité de la couverture et du cahier central, Web ne serait certes pas venu au bout du monde tenter d'amadouer ce petit gnome têtu.

— Ecoutez, répliqua-t-elle enfin, j'apprécie votre proposition et j'en suis flattée, mais en aucun cas je ne me lierais par un contrat d'exclusivité.

Elle tourna la tête dans sa direction, le regard plein de résolution — à peine voilé d'un soupçon de regret —, puis reporta son attention sur l'extérieur.

— Désolée, ma réponse est négative.

Là-dessus, elle sortit, le laissant seul sur sa chaise.

— Têtue comme une mule des Rocheuses ! bougonna-t-il dans sa barbe.

Bon, ce n'était pas la première fois qu'il avait affaire à une mule de gros calibre. Il n'avait jamais connu d'homme plus têtu que son grand-père. Et pourtant, en ne ménageant ni son temps ni sa peine, il avait toujours fini par lui imposer son point de vue.

Il considéra la porte d'un air sinistre.

Il pouvait faire son deuil de son retour en ville avant minuit. O.K., d'ici là il lui ferait entendre raison : il ne lui restait plus qu'à trouver l'argument qui la ferait changer d'avis. Tout le monde pouvait se faire acheter, il était impensable qu'elle fasse exception à la règle. Toutefois, si le salaire et la totale liberté artistique qu'il lui avait proposés n'avaient pu la fléchir, il ne voyait vraiment pas ce qui y parviendrait.

Enfin, il se leva et sortit sur le perron. Déjà, le crépuscule faisait rougeoyer l'horizon. Le vent s'était levé, et la température avait baissé de plusieurs degrés, tandis qu'un énorme amas de nuages noirs semblait se diriger droit sur la cabane.

Tout ceci ne lui disait rien qui vaille. Déjà, en plein jour, il avait eu un mal fou à arriver ici. Alors retrouver son chemin vers International Falls dans la nuit, sous l'orage, serait un miracle.

— Si on m'avait dit que je regretterais un jour d'avoir refusé d'être boy-scout ! grommela-t-il.

Plus loin, près des récipients de nourriture, une dizaine d'ours se léchaient les pattes et se frottaient le dos contre l'écorce des arbres. Deux d'entre eux — des jeunes — se querellaient. Mais bientôt un ours plus âgé lança un grognement sourd dans leur direction, et la querelle cessa aussitôt.

Ils avaient toujours l'air affamé ! pensa Web, peu enthousiaste à l'idée d'aller rejoindre sa voiture dans l'obscurité, à quatre cents mètres de là. Qui sait ? Tout un escadron de ces charmantes créatures rôdait peut-être en ce moment même dans la forêt à la recherche de viande fraîche — et en se demandant s'il avait encore des bonbons sur lui.

A propos, il mourait de faim, lui aussi. Tout comme les moustiques. Il en écrasa un qui se régalait sur son cou. Plus l'obscurité s'épaississait, plus ils grouillaient.

La dame de ces lieux s'affairait autour du petit hangar attenant à la cabane, les bras chargés de bois de chauffage.

— Vous feriez mieux de partir tout de suite, dit-elle.

Tête baissée, Tonya Griffin gravit péniblement les marches du perron et, de nouveau, passa devant lui sans le regarder.

— Vous avez deux bonnes heures de route. Comme c'est la dernière semaine où la pêche est autorisée, il vous faudra beaucoup de chance pour trouver une chambre libre en ville. Et si l'orage éclate, le voyage risque d'être un peu hasardeux.

Pas question d'essayer de regagner International Falls la nuit !

— Je suis passé devant plusieurs refuges en venant ici.

— Ils seront pleins à craquer. Votre seule chance, c'est à Falls.

Sa seule chance, c'était New York ! Mais à cause de l'intransigeance de ce damné bout de femme, il ne risquait pas de se retrouver ce soir à moins de trois mille kilomètres de la Cinquième Avenue.

Soudain, le premier grondement de tonnerre retentit et le vent se mit à souffler en rafales — autant de signes que l'orage était imminent.

— Eh bien, commença-t-il, si vous êtes certaine que ma proposition ne peux pas vous conv...

38

— Elle ne le peut pas ! coupa-t-elle. Je suis désolée pour le mal que vous vous êtes donné.

— Il fallait que j'essaye, dit-il d'un ton léger. De toute façon, je n'ai pas entièrement perdu mon temps. Je peux dire maintenant que je connais le Minnesota et que j'ai failli y être dévoré par un ours.

Elle jeta un coup d'œil en direction de ces derniers, puis se mit à réfléchir.

— Vous voulez que je vous accompagne jusqu'à votre voiture ? demanda-t-elle, visiblement à contrecœur.

Sa fierté masculine l'emporta de justesse sur sa peur viscérale. A grand-peine, il se retint de crier : « Bien sûr que oui ! »

— Je vous remercie, ça ira.

Il n'allait tout de même pas montrer à miss Guérillero qu'il tremblait !

Elle hésita, puis haussa les épaules.

— Bon, très bien. Comme vous voudrez. Si vous ne vous écartez pas du chemin, vous n'avez rien à craindre de la population locale.

Elle désigna d'un signe de tête les quelques ours toujours rassemblés autour des casseroles de nourriture, puis rentra dans sa cabane sans oublier d'en refermer la porte d'un coup de pied.

Considérant d'un air songeur le chemin malaisé qui menait à sa voiture de location, Web se demanda quelle réception lui réserverait Tonya, lorsqu'il réapparaîtrait devant elle le lendemain matin avec une nouvelle série d'arguments tout neufs.

Au loin, le tonnerre gronda avec insistance. Il leva les yeux : le dernier coin de ciel bleu achevait de se couvrir d'épais nuages de plomb.

Une grosse goutte s'écrasa entre ses deux yeux.

— Il ne manquait plus que ça ! marmonna-t-il d'un ton las.

Puis, avec un soupir, il prit à petites foulées la direction de sa voiture.

3.

Après s'être douchée et aspergée de lotion — traitement que sa peau attendait depuis trop longtemps —, Tonya enfila un épais survêtement de couleur rose, ainsi que des chaussettes bien chaudes. Elle venait à peine de jeter quelques bûches dans le poêle en fer forgé lorsqu'un éclair illumina la petite cabane.

Si les assiettes et les plats n'avaient pas déjà été ébréchés, le coup de tonnerre qui suivit, faisant trembler le buffet, n'en aurait épargné aucun.

— Celui-là n'est pas tombé loin !

Elle leva les yeux vers le plafond. La pluie martelait le toit de la cabane. Quelle bonne idée elle avait eue d'aller se doucher et de se faire un shampooing après le départ de Web Tyler ! Il valait mieux en effet être sortie de la cabine de douche en métal avant le début de l'orage.

Se hissant sur la pointe des pieds, elle prit la lampe à huile placée sur l'une des étagères en pin garnies de vieux romans de westerns.

Sans se soucier le moins du monde de savoir si Web Tyler avait réussi à rejoindre la nationale avant le début de l'orage, elle se demanda si l'antique cabane de Charlie Erickson résisterait au déluge et aux vents mugissants qui transformaient la forêt en un enchevêtrement de branches oscillaient en tous sens.

Certaines d'entre elles, en se détachant, venaient griffer le petit édifice.

— Une bonne vieille cabane qui a résisté à tant d'innombrables tempêtes ! dit-elle à voix haute pour se rassurer, tandis que la lumière vacillait.

Miraculeusement, l'électricité ne fut pas coupée.

Elle plaça la lampe à huile au milieu de la table et pensa de nouveau à Charlie, qui avait vécu dans cette cabane soixante des quatre-vingts années de sa vie, bien avant l'installation de l'électricité et du téléphone. Il adorait la solitude, la nature sauvage, et ses ours... Des ours qu'il avait attirés pendant six décades dans les vingt hectares de forêt de sa propriété en leur offrant un supplément nutritionnel à base de noix, de baies et de nourriture pour chiens.

Tout cela dans l'espoir de les protéger contre les chasseurs et les braconniers.

La veille, elle l'avait appelé à l'hôpital pour l'assurer qu'elle prenait grand soin de ses affaires et pour lui faire promettre de bien se reposer et suivre les prescriptions des médecins.

Par chance, il se remettait assez bien de sa crise cardiaque de trois semaines auparavant. Même à son âge on pouvait s'en remettre — à condition de ne pas reprendre une vie active avec trop de précipitation.

A propos de précipitation, de véritables torrents dévalaient à présent le toit de cèdre, submergeant les corniches à l'instar d'un raz-de-marée. Ce n'était pas le premier orage que Tonya subissait depuis son arrivée. Elle s'était vite rendu compte que le Minnesota était le pays des extrêmes. Chaleur torride, froid intense... Et quelquefois, comme aujourd'hui, les deux le même jour. C'était aussi une terre d'une extrême beauté, mais où il était impossible d'échapper à la solitude. Surtout pendant un orage comme celui-ci.

Elle se réjouissait de savoir Charlie à l'abri et bien au chaud dans son lit d'hôpital à Falls, où une volontaire âgée du nom de Helga venait quotidiennement lui prodiguer des sourires qui gonflaient ses joues roses, ainsi que moult petites attentions tendres.

— C'est seulement une amie, lui avait assuré Charlie lorsqu'elle lui avait rendu visite deux jours auparavant.

— Puisque vous le dites, Charlie ! avait-elle répliqué avant que la lueur qui s'était allumée dans son œil ne la fasse éclater de rire.

Un autre coup de tonnerre, aussi sec qu'un coup de fouet, fit trembler les parois de la cabane.

Deux précautions valaient mieux qu'une, se dit-elle en cherchant une boîte d'allumettes, au cas où l'électricité serait coupée. Enfin, elle en trouva une — avec, en prime, une bougie — dans un tiroir près de celui où elle rangeait les couverts.

A peine avait-elle frotté une allumette que la lumière vacilla puis s'éteint.

— « Et l'obscurité s'abattit dans un murmure, sans fracas », récita-t-elle à voix haute en enflammant la mèche de la bougie après avoir ôté le mince verre de la lampe. Tu parles toute seule, une fois de plus, Griffin ! ajouta-t-elle.

— Cela fait partie des risques du métier, se répondit-elle.

Ayant ajusté la mèche de sorte que la cabane se trouve agréablement baignée de lumière vacillante et d'ombres dansantes, elle replaça le verre de la lampe. Le discret parfum de l'huile de lampe, rappelant la cerise, se mêla aux senteurs variées de la forêt et de son shampooing au melon et aux fleurs.

Elle passait seule le plus clair de son temps. Qu'elle chasse les images dans le monde entier ou bien qu'elle prenne des vacances, elle préférait toujours la solitude. Si bien que la voix qu'elle entendait le plus souvent, c'était la sienne.

Il en était de même pour Charlie.

Ce cher homme lui ressemblait beaucoup. Il ressemblait aussi beaucoup à ses ours. Mais c'était un ours bourru et docile qui parcourait d'une démarche pesante cette terre qu'il aimait et connaissait comme la paume de sa main. La solitude ne lui pesait pas davantage qu'à elle. Et pourtant, il semblait sincèrement apprécier sa compagnie. La première fois qu'elle avait frappé à sa porte avec son équipement de prise de vues et son matériel de camping, il l'avait hébergée sans hésiter, alors qu'elle lui demandait seulement l'autorisation de photographier ses ours.

Un nouvel éclair illumina l'unique pièce de la cabane comme l'aurait fait un stroboscope. Le violent coup de tonnerre suivit de si près que Tonya sursauta. Elle posa la main sur sa poitrine pour apaiser les battements désordonnés de son cœur.

— Mince alors ! s'exclama-t-elle, un peu haletante.

Cette fois-ci, un arbre a sûrement été abattu.

Sans se faire d'illusions, elle décrocha le téléphone. Comme elle s'y attendait, il était coupé. Avec les kilomètres de fils qui traversaient la forêt, cela arrivait constamment : il suffisait qu'une branche tombe sur la ligne. Avec un orage terrible comme celui-ci, c'était absolument inévitable.

Involontairement, elle pensa de nouveau à Web Tyler. Pour une raison ou pour une autre, elle s'inquiéta de le savoir sous un tel déluge.

— C'est un grand garçon, il saura se tirer d'affaire, se dit-elle.

En ville, il n'y aurait eu aucun souci à se faire. Mais dans un lieu où les éléments étaient souverains, il fallait savoir vivre avec eux. Se souvenant de son accoutrement flambant neuf, presque celui d'un explorateur, elle hocha la tête : même s'il avait porté un T-shirt crasseux et un jean troué, sa coupe de cheveux à cent dollars et ses ongles manucurés auraient senti le citadin à dix lieues à la ronde, c'était ainsi qu'elle l'avait perçu dès son arrivée.

En même temps, elle avait senti son cœur bondir dans sa poitrine.

Après douze ans, elle s'était imaginée avoir surmonté son béguin pour lui. Apparemment, elle n'avait fait que se duper elle-même. Et dire qu'il ne se souvenait même pas d'elle ! Il y aurait eu de quoi rire si tout ceci n'avait pas été aussi pitoyable.

D'ailleurs, l'ironie de la situation aurait peut-être tout de même fini par la faire rire si, à cet instant précis, la porte de la cabane ne s'était ouverte avec fracas, la clouant sur place de terreur.

Elle demeura de longues secondes, les yeux écarquillés : tel un monstre contrefait échappé d'un film d'horreur, un homme fou de rage s'inscrivait dans l'embrasure de la porte.

L'individu — couvert de boue — referma la porte derrière lui. Il portait un sac à dos détrempé et non, comme elle l'avait cru d'abord, une bosse à la Quasimodo. Il finit par grommeler quelques mots :

— Merci de me permettre d'échapper à cette pluie d'enfer !

Tonya se demanda si elle allait rire de soulagement parce qu'il ne s'agissait pas d'un agresseur ou maudire le destin qui lui ramenait Web Tyler.

Web voyait rouge depuis presque une heure. Et à présent, tout ce sur quoi portait son regard était rose, depuis les chaussettes roses de Tonya jusqu'à ses joues et ses lèvres…

En tout cas, la Reine des Ours était adorable avec ses cheveux mousseux tombant en cascade sur ses épaules jusqu'au milieu du dos, elle semblait également douce et féminine et…

Il était beaucoup trop trempé et gelé pour penser à ça !

Il venait d'échapper au pire déluge depuis celui au cours duquel Noé avait sauvé la population terrestre. Il reviendrait là-dessus plus tard, lorsque ses bottes ne déborderaient plus de boue, que ses dents ne claqueraient plus comme des castagnettes, que son cerveau ne serait plus anesthésié par le froid et qu'il verrait de nouveau Tonya Griffin pour ce qu'elle était réellement : un problème à résoudre et rien d'autre.

Pour l'instant, toutefois, il se contenterait de quelques vêtements secs et d'un hectolitre de cette tisane qu'il avait eu tout à l'heure tant de mal à avaler. Il ferait n'importe quoi pour se réchauffer.

— Vous n'êtes pas blessé ? demanda-t-elle d'un ton hésitant.

— Si l'on considère que je venais tout juste de m'extraire de ma voiture en panne lorsqu'elle s'est trouvée écrasée par un arbre, je suppose qu'on peut dire que tout baigne.

— Oh, mon Dieu !

Elle le considéra avec stupeur. Lorsqu'elle vit un long frisson lui secouer le corps, une inquiétude sincère se peignit sur son visage.

— Vous êtes gelé. Il faut que vous mettiez des vêtements secs.

Il laissa tomber à ses pieds son sac à dos et son bagage à main, qui produisirent une sorte de clapotis en touchant le sol. L'eau se mit à suinter de son sac détrempé.

— A moins que vous n'ayez quelque part des vêtements d'homme, je ne vois pas comment cela serait possible.

— Je vais vous trouver quelque chose, dit-elle d'un air absent. En attendant, ôtez cette chemise.

De la part de toute autre femme, il aurait pris cette requête pour une invitation. De la part de Tonya, ce n'était qu'un ordre.

— Que s'est-il passé ? demanda-t-elle.

Il s'efforça de déboutonner sa chemise, mais il sentait ses doigts aussi raides que des tournevis et tout aussi maladroits.

— Pour autant que je m'en souvienne, répondit-il en frissonnant de nouveau, le moteur a calé lorsque je me suis enfoncé dans un nid-de-poule.

— Le trou était profond ?

— Oh, environ quatre-vingts centimètres d'eau.

Tonya marmonna à son tour quelque chose d'à peu près inaudible où il distingua les mots « idiot » et « route inondée ». Puis elle écarta ses doigts gourds et se mit à déboutonner elle-même sa chemise.

— Il y a beaucoup de vrai dans ce que vous dites, reconnut-il en s'efforçant de réprimer un nouveau frisson.

J'ai réussi à attraper mon équipement et à m'extraire de la voiture juste au moment où j'entendais un énorme craquement. Puis j'ai senti la terre trembler, et j'ai compris que quelque chose d'important s'était produit.

— Comme la chute d'un arbre.

— Sur *ma* voiture, compléta-t-il, soudain trop conscient du fait qu'elle tirait sur les pans de sa chemise afin de l'en débarrasser.

— Cet arbre, il était gros ?

— Je pense que c'était un séquoia. Assez gros pour aplatir ma voiture comme une crêpe.

— Aplatir ? Elle ne peut plus rouler ?

— Vous plaisantez ! Elle n'a plus rien d'une voiture, à présent.

Ses petits doigts hésitèrent, à la fois doux et brûlants contre sa peau gelée. Puis, pleins d'une sensualité inconsciente, ils effleurèrent ses omoplates tandis qu'elle le tournait vers la lumière pour lui examiner le dos.

— Ouille !

Il grimaça de douleur lorsqu'elle lui toucha un point sensible.

— On dirait que l'arbre ne vous a pas complètement raté, murmura-t-elle.

— J'ai bien senti que quelque chose m'avait atteint. Mais j'ai préféré déguerpir sans chercher à savoir de quoi il retournait.

— Asseyez-vous là ! ordonna-t-elle en approchant une chaise.

Adjudant jusqu'au bout des ongles...

— Je vais mettre de la boue partout.

— Nous demanderons à la domestique de nettoyer demain, répliqua-t-elle, pince-sans-rire en se dirigeant vers la douche.

Elle en ressortit les bras chargés de serviettes.

— Ce n'est qu'une cabane, fit-elle remarquer en voyant qu'il était toujours debout. Une vieille cabane… Le sol a été maculé de plus de boue et d'eau que vous n'en verrez jamais dans toute votre existence. Allez, asseyez-vous, que je puisse examiner votre épaule à la lumière.

Il n'avait plus qu'à s'exécuter. Il ôta ses bottes et ses chaussettes trempées, les plaça à même le sol avec sa chemise dégouttante, puis s'approcha de la table.

Acceptant la serviette qu'elle lui tendait, il s'enfouit le visage dans le tissu-éponge avant de s'en frotter les cheveux. Pendant ce temps, elle leva la lampe à huile pour examiner son dos.

— Ça vous fait mal, là ? demanda-t-elle en appuyant sur son omoplate.

Il secoua la tête, s'efforçant d'ignorer la sensation inexplicablement vive des mains de la jeune femme sur la peau de son dos. Il frissonna — pour un certain nombre de raisons qui n'avaient rien à voir avec le froid…

— Et maintenant ?

— Ouille ! Oui, s'écria-t-il dès qu'elle eut appuyé davantage. Si c'est la réponse que vous cherchiez, alors oui, ça fait un mal de chien ! Vous êtes contente ?

— Un peu seulement, dit-elle en lui palpant le dos avec davantage de douceur cette fois.

Elle se pencha au-dessus de lui pour replacer la lanterne sur la table. Accidentellement, elle lui effleura le dos de ses seins, si fermes et si doux qu'il ne put que le remarquer, même si lui-même se sentait plutôt comme un glaçon fondant sur une chaise.

Ne pensant qu'aux soins qu'elle dispensait, elle lui manipula le bras afin de tester la mobilité et l'extension.

— Ce n'est qu'une contusion, déclara-t-elle enfin. Assez mauvaise, mais rien n'est cassé.

Il haussa une épaule pour tester sa mobilité, et réprima une grimace.

— Désolé de vous décevoir.

Ne trouvant rien à répondre, elle ouvrit un buffet et se saisit d'un flacon de whiskey irlandais.

Web eut presque envie de pleurer de gratitude lorsqu'elle en versa trois doigts dans un verre qu'elle lui tendit. Puis, le laissant savourer la douce brûlure de l'eau de mer, elle se mit à farfouiller dans une commode dont elle finit par sortir une pile de vêtements.

— Ils appartiennent à Charlie, dit-elle en lui tendant une chemise de grosse flanelle, un jean usé et d'épaisses chaussettes de laine. Ils seront un peu grands pour vous, mais au moins ils sont secs, c'est l'essentiel. Vous devez absolument vous frictionner si vous ne voulez pas attraper du mal. La salle de bains est à votre disposition.

Il se sentait si gelé et si raide qu'il aurait juré avoir entendu ses articulations craquer lorsqu'il se leva. Traînant ses pieds nus encore bleus de froid, il gagna la minuscule salle de bains.

Il aurait dû dire quelque chose, songea-t-il. Au moins pour la remercier et s'excuser du dérangement qu'il lui causait...

Mais en fait, il était bien trop occupé pour cela. Occupé à chercher comment tirer le meilleur parti de la situation. Son cerveau n'était pas engourdi par le froid au point de l'empêcher de remarquer l'occasion inespérée qui se présentait à lui.

Maintenant qu'il avait survécu à sa première — et, espérait-il, dernière — « mousson du Minnesota », il se trouvait dans une situation idéale pour négocier : cantonné dans cette cabane avec Tonya Griffin au moins jusqu'au lendemain matin !

Bien sûr, il n'aurait jamais eu volontairement recours à de telles extrémités pour avoir l'occasion de parler de nouveau avec elle. Il n'était quand même pas désespéré au point de mettre en scène une quasi-noyade et l'écrasement de sa voiture par un arbre ! Mais il était prêt à tirer maintenant parti de la situation. Les meilleurs hommes d'affaires comptaient sur la chance autant que sur leurs capacités, et il était un excellent homme d'affaires.

Certes, il paraissait moins doué pour survivre en plein désert.

Cependant, il n'y avait pas besoin d'être bûcheron pour savoir que le chemin d'accès à la cabane était coupé. Sauf miracle, personne ne pourrait donc ni sortir de la cabane ni y accéder avant le lendemain. Peut-être même avant plusieurs jours.

Il avait donc de bonnes chances de réussir à capter l'assentiment de Tonya Griffin. Il savait parfaitement comment saisir à pleines mains ce genre d'occasion. Il était expert à ce petit jeu.

S'il se révélait incapable dans ces conditions de convaincre une photographe antisociale et tête de mule — entichée d'ours par-dessus le marché — de devenir riche et célèbre, il ne lui restait plus qu'à jeter l'éponge !

— Tenez ! dit-elle juste au moment où il allait s'enfermer dans la salle de bains.

Il se retourna et vit qu'elle lui tendait une chandelle allumée.

— Il vaut mieux que vous preniez ceci si vous voulez voir ce que vous faites.

Lorsqu'il voulut se saisir de la bougie, tous deux virent à quel point sa main tremblait. Au lieu de la lui confier, Tonya préféra la poser sur une sorte de panier à linge retourné.

— Je regrette de ne pouvoir vous offrir une douche, mais la pompe à eau ne marche pas quand l'électricité est coupée. J'en ai pour quelques minutes à faire chauffer une bassine d'eau sur le poêle, ce qui vous permettra de vous laver un peu. De toute façon, la pluie a déjà dû enlever presque toute la boue que vous aviez sur vous.

Là-dessus, elle ferma la porte.

Il se retrouva seul à la lueur vacillante de la bougie, en compagnie d'une... petite culotte de dentelle rose suspendue à la tringle du rideau de douche, sans parler du soutien-gorge assorti...

Jamais dans ses rêves les plus fous il n'aurait imaginé que Tonya Griffin, sous ses vêtements de survie kaki, aimait le contact de la dentelle. Et que cette délicate lingerie ferait surgir dans son esprit une succession de fantasmes plus excitants les uns que les autres.

Finalement, il ne put s'en empêcher. Il tendit le bras, toucha.

Les sous-vêtements étaient humides. Evidemment, Tonya venait de les laver et les avait mis à sécher.

Se sentant frissonner de plus belle, il fit délicatement descendre son pantalon détrempé le long de ses jambes et le jeta sur le sol de la douche. Puis, avec rien d'autre sur lui que son caleçon trempé, il se réchauffa les mains au-dessus de la bougie et s'abîma dans la contemplation des petits bouts de dentelle rose. Soudain, il entendit frapper doucement à la porte.

— Voici l'eau chaude, annonça la voix de Tonya.

Lorsqu'il ouvrit la porte, la jeune femme avait laissé la bassine sur le sol et se trouvait hors de vue.

Il s'en empara avidement... et ne put s'empêcher de rire en pensant qu'il espérait tant de soulagement de si peu d'eau chaude.

— « Les puissants seront humiliés », marmonna-t-il.

Il pensa à son luxueux appartement avec vue imprenable sur la ville, doté d'une baignoire si vaste qu'un petit cuirassé y flotterait...

— Vous avez dit quelque chose ? demanda-t-elle de l'autre côté de la porte.

— J'ai dit merci, répliqua-t-il.

Il plongea les doigts dans l'eau et grogna de satisfaction.

— Je vous en prie.

— Je n'ai pas besoin de me faire prier, ma jolie, murmura-t-il, très bas pour être sûr de ne pas être entendu.

Sans cesser de contempler les sous-vêtements de dentelle, il ressentit dans l'abdomen un picotement de jubilation et de culpabilité mêlées à l'idée qui s'élaborait lentement dans son esprit.

Grâce à ce plan, il entendait bien obtenir la signature de Tonya au bas du contrat. Il n'y avait aucune raison qu'il se sente coupable ! En fin de compte, il allait lui rendre service. Tout d'abord, en lui faisant signer un contrat faramineux. Ensuite... Eh bien, depuis quand un homme ne lui avait-il pas susurré qu'elle lui était indispensable, ou même seulement qu'elle était jolie ? Et qu'à ses yeux, elle n'avait pas seulement une valeur marchande ?

— Ça doit faire longtemps, à en croire son humeur grincheuse, marmotta-t-il.

Beaucoup trop longtemps, décida-t-il en plongeant un gant de toilette dans l'eau chaude.

Avant de rentrer à New York, il allait considérablement humaniser ses relations avec cette jeune femme aux yeux bleus comme un lac de montagne. Il allait se montrer attentionné à son égard, afficher de l'intérêt pour son travail et pour sa personne. Juste un petit flirt innocent, histoire de lui rappeler qu'elle était davantage qu'une photographe recluse...

Histoire aussi de lui rappeler qu'elle était une femme, avec les besoins et les désirs d'une femme. Et avec ses faiblesses — pour la dentelle, par exemple. Même si elle s'efforçait soigneusement de les cacher.

Il n'avait pas son pareil pour exploiter ce genre de faiblesse...

Ensuite, elle se sentirait mieux, davantage en accord avec elle-même. Et lui, il aurait son contrat. Tout le monde serait content.

Toujours aussi froid qu'un glaçon, il enfila la chemise. Tonya l'avait prévenu, elle était un peu grande pour lui. O.K., il flottait littéralement dedans ! Mais la flanelle usée était d'un contact agréable et chaud sur sa peau, tout comme les chaussettes de laine.

Tournant le dos à la cabine de douche, il considérait le jean qu'il allait enfiler, lorsque quelque chose lui effleura le front. Il porta la main au-dessus de sa tête et se saisit de la minuscule culotte.

Sans pouvoir s'en empêcher — quel homme digne de ce nom en aurait été capable ? — il frotta le tissu entre ses doigts, appréciant la sensualité de ce contact, avant de le porter contre son visage et d'en respirer le parfum. Un parfum de fleurs, de savon et de femme.

Pour la première fois depuis qu'il avait quitté sa voiture sous la pluie battante, il sentit un véritable flux de chaleur s'insinuer dans ses veines.

Tonya faisait réchauffer un reste de soupe au poulet sur la cuisinière à gaz lorsqu'elle entendit se refermer la porte de la salle de bains.

Elle savait que c'était ridicule, mais elle oscillait entre fatalisme stoïque et honte absolue depuis qu'elle s'était souvenue avoir lavé ses sous-vêtements, puis les avoir pendus à la tringle du rideau de douche.

La belle affaire ! Oui, elle portait des sous-vêtements roses. Quelquefois ils étaient rouges, ou bleus, ou pêche. Et même, lorsque l'envie lui prenait, noirs. Et après ? Web avait déjà vu des sous-vêtements de femme, et sans doute plus souvent qu'à son tour. Il n'y avait vraiment pas de quoi en faire tout un plat.

Alors, si ce n'était pas parce qu'il avait vu son soutien-gorge et sa petite culotte roses, pourquoi donc avait-elle l'impression de partager une certaine intimité avec lui ?

Tout simplement parce qu'elle venait pratiquement de le déshabiller, se dit-elle. Parce qu'elle avait dénudé ses larges épaules, vu la ferme musculature de sa poitrine, senti sa peau sous ses doigts.

Sans doute aussi parce que, douze ans auparavant, il avait été le plus gros béguin de sa vie.

Il était donc encore capable de faire palpiter son pauvre cœur... Et dire qu'il ne se souvenait même pas d'elle !

Dès qu'elle l'entendit s'approcher, elle sentit la gêne l'envahir et ses oreilles s'embraser. Elle inspira profondément, s'efforçant de trouver quelque chose à dire. A ce petit jeu, il fut plus rapide qu'elle.

— Qui est ce Charlie ? Un parent de King Kong ?

Sans cesser de tourner sa cuiller de bois dans la soupe, elle jeta un coup d'œil dans sa direction et ne put s'empêcher de sourire.

Il avait retroussé ses manches de chemise et tenait son jean à la taille pour l'empêcher de tomber. Il avait aussi retroussé les revers du jean, mais cela ne les empêchait pas de recouvrir ses pieds et de traîner sur le sol. A trente-cinq ans, il avait beau posséder l'une des carrures les plus conséquentes du monde de l'édition internationale, il faisait à présent penser à un petit garçon perdu dans les vêtements de papa.

— Vous n'avez pas l'impression de jouer le rôle principal dans *Chérie, j'ai rétréci l'Editeur* ?

Il baissa les yeux et rit de bon cœur.

Elle baissa le feu sous la soupe et posa la cuiller dans un trépied.

— Je vais vous trouver quelque chose pour tenir ce pantalon.

Elle farfouilla quelque temps dans une commode avant de trouver une ceinture et une paire de bretelles striées de bandes rouges et bleues. Par pure méchanceté, elle choisit les bretelles.

— Voici.

Il les prit en lui lançant un regard qui disait clairement : « Vous plaisantez, j'espère ! »

— Il ne vous reste plus qu'à me donner une hache ou une tronçonneuse, et j'aurai tout l'air d'un amoureux de la nature !

— Pas tout à fait, le rassura-t-elle, opposant un regard mielleux à son sourire menaçant.

— Vous avez raison. L'habit ne fait pas le moine.

Oh, mais si ! pensa-t-elle, se souvenant de l'impression qu'il lui avait faite la première fois qu'elle l'avait vu porter l'un de ses luxueux costumes sur mesure. Elle avait eu le coup de foudre sur-le-champ, il fallait bien l'admettre.

— Vous avez faim ? demanda-t-elle, s'efforçant de sortir de sa rêverie.

— Seigneur ! Vous allez aussi me nourrir ? Puis-je vous acheter un club sandwich ?

— C'est donc bien clair que vous mourez de faim !

Puis, recouvrant son sérieux, elle ajouta :

— Asseyez-vous. Si vous avez encore froid, prenez la couette du fauteuil à bascule et passez-vous la sur les épaules.

— Cela va beaucoup mieux, merci. Heureusement. Pendant un certain temps, j'ai eu l'impression d'être transformé en glaçon. Je n'avais jamais eu aussi froid de toute ma vie.

— Vous aimez le lait ?

— Beaucoup, répondit-il. Grands Dieux, on se croirait au paradis !

Il s'approcha d'elle en inspirant profondément, d'un air connaisseur.

Elle ne put s'empêcher d'en faire autant. Au sortir de la douche, une femme répand un parfum de fleurs et d'agrumes. Un homme sortant de la douche a un parfum d'homme. Et celui-ci, douché par la pluie battante, sentait la force et la virilité, au point que sa gorge se serra.

Cela faisait trop longtemps que ses sens ne s'étaient pas trouvés à pareille fête !

D'une main un peu tremblante, elle reposa la cuiller et éteignit le feu sous la marmite de soupe. Mieux valait s'éloigner de tant de parfums enivrants…

— C'est une soupe au poulet tout ce qu'il y a de plus ordinaire, dit-elle en se dirigeant vers le buffet.

Puis, cherchant des bols dans le buffet, elle ajouta :

— Rien à voir avec la grande cuisine à laquelle vous êtes accoutumé.

Il posa les mains sur ses épaules et l'incita doucement à se retourner pour lui faire face.

— Je tiens à ce que tout soit bien clair entre nous, dit-il. Ce dont je n'ai pas l'habitude, c'est de repousser des ours affamés et d'emprunter des routes inondées !

Il marqua une pause avant d'ajouter :

— Sans parler des chutes d'arbres et des pluies d'orage diluviennes. Mais, que vous le croyiez ou non, je n'ai pas non plus l'habitude de m'imposer chez quelqu'un sans y être invité. Surtout si la personne en question me réchauffe et me nourrit alors qu'elle n'apprécie absolument pas ma présence.

Il s'interrompit, exerçant une légère pression sur ses épaules.

— Sincèrement, vous croyez qu'après tout ce que vous avez fait pour moi, je vais me mettre à rouspéter au sujet de la nourriture ? D'autant qu'il se dégage de votre marmite un arôme délicieux qui me rappelle la cuisine de ma mère !

Stupéfaite, sans voix, tous les muscles du corps tendus, elle le fixa longuement.

Il ne restait plus rien de la bienfaisante détente qu'elle avait ressentie en entendant les paroles sincères de Web... Cette agréable décontraction avait disparu aussi brutalement que le courant un peu plus tôt.

Insuffisamment éclairé par la lueur dansante de la bougie qu'il avait rapportée de la salle de bains, le regard de Web paraissait sombre... Cependant, la sincérité la plus totale se peignait sur son visage. Et il lui souriait, l'air bienveillant et amusé.

Bien des années auparavant, elle avait déjà vu une telle expression sur son visage... Douze années auparavant, pour être précise. C'était peu avant la fin de l'année, elle avait fêté Noël en compagnie des autres employés des éditions Tyler. Web lui avait proposé de la raccompagner, et elle s'était retrouvée en sa compagnie sur la banquette arrière d'un taxi. Elle qui s'était toujours considérée comme un garçon manqué s'efforçant en vain de se cacher derrière une allure féminine, elle avait eu l'impression d'être une paysanne courtisée par un prince ! Comment une telle chose avait-elle pu lui arriver ? Comment avait-elle pu ainsi focaliser ses regards, ce soir-là ? Même dans ses rêves les plus fous, elle n'avait jamais osé s'attribuer un tel succès. Certes, il s'était gentiment moqué d'elle en la surnommant Tammy, comme le béret écossais du même nom... Mais cela ne l'avait guère dérangée au regard des attentions qu'il lui avait dispensées toute la soirée.

Et puis, il fallait bien reconnaître qu'elle avait un tout petit peu forcé sur le champagne... Juste assez pour considérer cette offre de la raccompagner chez elle comme une occasion inespérée de faire franchir à leur flirt une étape supplémentaire.

Impatiente, elle s'était jetée dans ses bras et, se surprenant elle-même tout autant que Web, elle l'avait embrassé sur la banquette du taxi.

Comme cela, sans prévenir. Avec un culot monstre.

Et cela avait été merveilleux. La réponse de Web à son baiser avait dépassé toutes ses espérances. Elle avait senti clignoter en elle mille lumières incandescentes.

Jusqu'à ce qu'il mette un terme à son euphorie en cessant de l'embrasser. Et, lorsqu'il s'était dégagé de son étreinte, la même expression qu'aujourd'hui s'était peinte sur son visage.

Bienveillante. Amusée.

4.

— Vous m'avez demandé qui était Charlie, dit soudain
Tonya, autant pour dissiper le souvenir de cette lointaine
bourde que pour atténuer l'intensité de l'instant.

Elle s'arma d'une louche et emplit généreusement un
bol de soupe, qu'elle tendit à Web.

— Nous sommes dans la cabane de Charlie Erickson,
expliqua-t-elle. Les ours aussi sont à lui.

Toujours en chaussettes, il se dirigea vers la table.

— Comment ça, les ours sont à Charlie ?

— C'est une façon de parler, répliqua-t-elle en dispo-
sant devant lui un verre de lait, une boîte de crackers et
une cuiller à soupe. Cela fait soixante ans qu'il vit ici
et nourrit les ours de tout ce qu'il peut récupérer chez
les restaurateurs et les épiciers du coin. Environ un
tiers des cent cinquante ours qui vivent dans le comté
de Koochining savent qu'ils peuvent se réfugier dans la
vingtaine d'hectares de la propriété de Charlie. Ils s'y
retrouvent matin et soir.

Il avala une cuillérée de soupe pleine à ras bord.

— Se réfugier ?

— Pour échapper aux chasseurs. La chasse ouvre
la semaine prochaine. Alors, ces derniers temps, il a
augmenté leur quantité de nourriture dans l'espoir d'en

attirer davantage à l'abri. En arrivant par ici, vous avez dû remarquer les panneaux indiquant que la chasse était interdite ici.

Il hocha la tête et but une grande gorgée de lait.

Elle s'efforça de ne pas trop apprécier le fait qu'il mangeait comme un homme, et non comme un citadin dorloté, trop distingué pour s'attaquer franchement à la nourriture sans dissimuler son plaisir.

— Où se trouve Charlie en ce moment ?

— Il se remet d'une crise cardiaque à l'hôpital d'International Falls.

Sa cuiller s'arrêta net à quelques centimètres de sa bouche.

— Pas de chance !

S'emparant d'un torchon, Tonya alla s'affairer autour du poêle.

— En tout cas, pour un homme de quatre-vingts ans, il ne s'en tire pas mal du tout. C'est incroyable comme il se remet vite. Cela fait seulement quinze jours que c'est arrivé, mais il ne parle déjà plus que de rentrer chez lui. Je m'attends à le voir arriver ici dans une semaine. Deux tout au plus.

Il la considéra quelques instants, le coude posé sur la table.

— Et en attendant, vous prenez soin des ours ?

— C'est la moindre des choses, puisqu'il a eu la gentillesse de me laisser les photographier.

De nouveau, il la considéra longuement, avant de reporter son attention sur son bol de soupe.

Seuls les coups de tonnerre et la pluie battante perçaient le silence. La semi-obscurité de la cabane — ainsi que l'orage — les coupaient du reste du monde, les laissant seuls avec leurs pensées.

Diplômée d'une petite université de l'Iowa, elle était arrivée à New York avec la tête remplie de rêves et un talent en friche. Elle avait trouvé un emploi de photographe assistante dans le groupe d'édition Tyler, en nourrissant l'espoir qu'un job chez cet éditeur prestigieux lui servirait de tremplin pour une brillante carrière. En réalité, cela avait été son premier et dernier travail dans la capitale. On lui avait remis sa lettre de licenciement le jour même du réveillon de Noël — le lendemain de la soirée offerte par les éditions Tyler.

Un jour après s'être couverte de ridicule en se jetant dans les bras de Web...

La voix profonde de ce dernier l'arracha à sa rêverie :

— Comment avez-vous découvert cet endroit ?

— Par d'autres photographes. Les Jesups et moi étions en mission pour *La Vie des Animaux*, dit-elle, faisant allusion au célèbre couple de photographes qui l'avaient prise sous leur aile quelques années auparavant et lui avaient appris les ficelles du métier. Ils m'ont raconté comment ils avaient réalisé une double page sur les ours dans *Parade Magazine*, une trentaine d'années auparavant. Depuis, ils n'avaient jamais oublié Charlie. Ni le Minnesota, ni les ours. Ils m'ont relaté l'expérience avec une telle passion que j'ai voulu me rendre compte par moi-même.

Elle s'interrompit, le temps de poser la casserole de soupe sur la table et de remplir de nouveau le bol de Web.

— Lorsque ma dernière mission s'est achevée, le mois dernier, je me suis aperçue que je disposais d'un peu de temps et j'ai décidé de le passer ici.

— Et maintenant, vous savez ce qui a tellement plu aux Jesups.

Elle soutint son regard, heureuse en dépit d'elle-même de savoir qu'il la comprenait.

— Oui, maintenant, je le sais.

— Et cela en valait la peine ?

Tenant toujours son verre de lait entre les mains, il posa de nouveau ses coudes sur la table.

Tonya ne put s'empêcher de remarquer ses mains. Ce n'étaient certes pas des mains de travailleur manuel. Pourtant, elles dégageaient une impression de puissance, malgré la longueur de leurs doigts.

L'image de ces doigts effleurant les parties les plus intimes de son corps surgit inopinément dans l'esprit de Tonya... De nouveau, elle rougit jusqu'au bout des oreilles.

Détournant les yeux, elle alla soulever un coin du rideau de la fenêtre. A présent, la nuit était d'encre. La seule chose visible était la pluie qui s'écrasait sur la vitre.

— Qu'est-ce qui en valait la peine ? Photographier les ours ?

— La solitude, la vie nomade. La ville ne vous manque donc jamais ?

Elle lâcha le rideau. Il avait mis le doigt sur quelque chose qui la travaillait depuis quelque temps. Oui, elle vivait dans la solitude, et parfois cela lui pesait.

— J'ai été élevée dans une ville de moins de dix mille habitants, les grandes villes n'ont donc jamais rien représenté pour moi, éluda-t-elle plutôt que d'avouer ses véritables sentiments.

— Pour moi, elles représentent tout, dit-il en s'adossant confortablement à sa chaise. Je ne sais pas combien de temps je pourrais séjourner ici sans devenir cinglé.

— Eh bien, justement, vous allez peut-être avoir l'occasion de mesurer votre résistance.

— Ouais, c'est ce que je me suis dit lorsque cet arbre a écrasé ma voiture. Effectivement, j'ai pensé que, si je survivais jusqu'au matin, je risquais fort de me retrouver cloué ici quelques jours. La route est complètement impraticable. D'habitude, les agents de la voirie interviennent rapidement par ici ?

— Le comté n'entretient pas cette route. C'est Charlie qui le fait en cas de nécessité, ou l'un de ses voisins.

— Parce qu'il y a des voisins ? s'étonna-t-il en plongeant sa cuiller dans son bol de soupe.

— Ne vous faites pas trop d'illusions. Le plus proche habite à huit kilomètres.

— Si je comprends bien, vous m'avez sur le dos pour un bon bout de temps.

— C'est aussi mon impression.

— J'en suis vraiment désolé.

— Ouais, eh bien, si cet isolement ne vous rend pas trop hargneux contre moi, nous avons assez de réserves de nourriture pour survivre une semaine ou deux, et l'eau n'est jamais un problème à proximité d'un lac.

— Il y a aussi un lac, par ici ?

Surprise, Tonya haussa les sourcils.

— Vous n'aviez jamais entendu parler du Minnesota ? Le pays aux dix mille lacs ?

— Si, cela me revient ! C'est le pays où les hommes sentent le poisson et ressemblent à des ours, pas vrai ?

Tonya ne put s'empêcher de rire. Elle avait souvent pensé cela de ces durs au cœur tendre qui peuplaient les forêts du Nord et passaient tout leur temps à pêcher et à chasser, sans presque jamais voir un morceau de savon ni un rasoir.

64

— Hum, c'est assez vrai ! Pour certains d'entre eux, en tout cas.

— Et qu'est-ce que vous faites le soir, ici ? demanda-t-il en promenant un regard scrutateur autour de lui. Je veux dire, à part se jeter contre les cloisons par ennui ?

— Je lis. Je développe mes films. Et il y a plusieurs puzzles avec les bouquins, sur les étagères.

— Et quoi d'autre ?

— C'est à peu près tout, répliqua-t-elle sèchement, sur la défensive.

— Qu'est-ce qu'un être humain pourrait demander de plus, hein ?

— Essayez donc de le répéter en ayant l'air de croire ce que vous dites !

— Jamais de la vie !

Il se leva et se mit à fureter un peu partout.

— Je suppose qu'il serait ridicule d'espérer que cette cabane soit connectée à Internet ?

Tonya ne prit même pas la peine de répondre.

— C'est bien ce que je pensais, grommela-t-il.

Elle s'efforça de rester indifférente tandis que Web prenait un livre par-ci, un objet par-là, se chauffait les mains au-dessus du poêle. Mais il était plutôt difficile d'ignorer un superbe mâle d'un mètre quatre-vingt-dix dans une pièce de quelques mètres carrés sans télé, sans radio... et sans issue praticable, du moins tant que durerait la tempête.

— Vous auriez peut-être intérêt à faire sécher les vêtements qui sont dans votre sac, suggéra-t-elle, songeant qu'il ne pouvait se contenter indéfiniment de ceux de Charlie. J'ai tiré une corde à linge supplémentaire.

Maladroitement, il entreprit de suspendre ses vêtements mouillés à l'aide de pinces à linge et de cintres. Sans aucun doute, son personnel l'avait jusqu'ici dispensé de ce genre de corvée ! Mais il n'était pas question qu'elle touche à ses effets personnels. Parce que, justement, c'était trop… intime. De plus, elle n'était la domestique de personne. Elle se contenta de placer ses bottes près du poêle afin de les faire sécher.

— Vous avez des jeux de cartes ? demanda-t-il après avoir achevé sa tâche tant bien que mal — plutôt mal que bien, en l'occurrence.

— En fait, je crois qu'il y en a un ou deux.

Elle farfouilla dans un tiroir et finit par trouver un jeu de cartes écornées qu'elle jeta sur la table.

— Amusez-vous tant que vous voudrez ! dit-elle en faisant la vaisselle de son repas — elle avait dîné avant.

Sans se faire prier, il se mit à battre les cartes.

— Que diriez-vous d'un petit gin ? demanda-t-il.

— Désolée. Charlie n'a que du Whiskey.

— Et un sacré bon Whiskey, d'ailleurs. Mais je voulais parler de gin-rummy. Vous risqueriez de faire fortune. Je suis aussi bon aux cartes que lorsqu'il s'agit de survivre à la campagne.

Sans cesser de battre les cartes, il ajouta avec un sourire entendu :

— Vous faites beaucoup de réussites, je suppose ?

Tonya prit plutôt mal cette nouvelle allusion à sa solitude.

— Que voulez-vous dire par là ? rétorqua-t-elle vivement.

Il leva les yeux, observa l'expression de son visage et leva les mains, comme pour se rendre.

— Rien de particulier. Si j'ai bien compris, vous passez beaucoup de temps seule, à chasser les images, ce qui veut dire que vous devez parfois vous ennuyer. Tout le

66

monde sait que les réussites sont un remède universel à l'ennui, pas vrai ?

Sans répondre, elle prit le tisonnier et se mit à attiser le feu dans le poêle en fonte.

— Hé, je vous jure que je ne voulais rien dire de particulier ! protesta-t-il. Je serais curieux de savoir ce que j'aurais voulu insinuer, d'après vous.

Qu'elle était de si piètre compagnie que personne ne voulait s'attarder en sa présence, voilà ce qu'elle avait cru entendre dans ses paroles. Qu'entre elle et un jeu de cartes, un homme choisirait toujours les cartes...

Grands Dieux, d'où lui venaient donc des pensées si négatives ? Pourquoi se sentait-elle ainsi sur la défensive ?

En fait, depuis sa première rencontre avec Web, elle avait connu deux ou trois relations désastreuses avec des hommes, et cela n'avait pas manqué d'ébranler encore sa confiance en sa féminité. Le succès professionnel avait succédé à l'échec de sa première expérience à New York, mais sa vie sentimentale en avait pâti. Les deux relations un peu sérieuses dans lesquelles elle s'était impliquée n'avaient abouti à rien. Son métier l'entraînait souvent loin de New York — voire des Etats-Unis — pendant de longues périodes, et il était plutôt difficile d'entretenir des relations intimes à distance. De toute façon, aucun des hommes qu'elle avait rencontrés n'avait eu l'intention de s'effacer devant sa carrière de photographe, ni même accepté qu'elle gagne sa vie de cette manière.

Et puis elle en avait toujours un peu pincé pour Web. Elle n'avait jamais tout à fait réussi à se détacher de la fascination qu'il avait exercée sur elle...

Malgré tout, elle aimait la vie qu'elle menait, même si son métier allait presque certainement l'empêcher de trouver un jour un homme avec qui la partager. Son échec de New York n'était plus qu'un mauvais souvenir.

Cependant, peut-être pensait-elle à Web Tyler un peu trop souvent, avec un petit peu trop de regrets...

Et voilà qu'était apparu à l'improviste, en chair et en os, l'homme responsable à la fois de son seul échec professionnel important et de l'un des instants les plus embarrassants de sa vie intime...

Cela avait suffi pour la contraindre de lutter de toutes ses forces afin de ne pas réagir comme elle l'avait fait autrefois, avec toute l'inexpérience et la naïveté de ses dix-neuf ans.

Car elle n'avait jamais oublié Web, ni le baiser qu'ils avaient partagé. Par contre, elle n'avait pas réveillé en lui le moindre souvenir. Sans doute n'y avait-il là rien d'anormal : à l'époque, elle pesait dix kilos de plus, avait les cheveux courts hérissés de pointes et portait des lunettes. Mais tout de même...

Elle jeta une bûche supplémentaire dans le feu et s'essuya les mains sur son sweat. Web ne lui parlait que pour tuer le temps, songea-t-elle avec amertume. Et, comme elle tardait à lui répondre, il la regardait comme si elle venait d'atterrir à bord d'une soucoupe volante.

— O.K. pour une partie de gin ! répondit-elle enfin, s'asseyant en face de lui d'un air décidé.

— J'aime mieux vous prévenir : je ne sais pas perdre.

Elle n'en avait jamais douté un seul instant.

— Cela tombe bien. Je suis odieuse quand je gagne.

Il poussa le paquet de cartes devant elle.

— Vous coupez ?

— Non. Faites-le vous-même.

— Vous allez me céder combien de points ?

Elle le regarda distribuer les cartes d'une main sûre et experte, se demandant dans quelle mesure il avait l'intention de l'arnaquer.

— Nous ne jouons pas au golf, Tyler. Vous n'avez pas de handicap.

— Vous êtes inflexible, fit-il remarquer en arrangeant son jeu.

— Parce que je ne veux pas vous donner d'emblée d'avantage ?

Il afficha un large sourire.

— Parce que, malgré votre douce beauté, vous me regardez comme si vous alliez m'étrangler.

— Seulement si vous trichez !

Ce qu'il avait sans doute déjà commencé à faire, en essayant de détourner son attention avec ses belles paroles... « Beauté ». Voilà bien un mot qu'elle n'avait jamais associé à sa propre personne, et elle doutait sérieusement qu'il puisse penser différemment.

— Je sors peut-être quelquefois des sentiers battus, mais tricher, moi ? Jamais ! rétorqua-t-il en lui lançant un regard plein de malice.

Un regard qui disait clairement qu'il ne reculerait devant aucune ruse si les enjeux en valaient la peine. Elle allait devoir se tenir sur ses gardes et, surtout, ne jamais relâcher son attention.

Lorsqu'elle choisit une carte dans son jeu puis changea d'avis, le regard de Web s'illumina de nouveau. Et, en raflant la carte qu'elle avait fini par jouer, il exultait presque.

Elle ne put s'empêcher de rire.

— Vous savez que, pour un homme d'affaires, vous ne cachez guère vos sentiments ?

— Cela n'a rien à voir avec les affaires !

Tandis qu'elle ramassait une carte dont, visiblement, il avait voulu se débarrasser, il lui adressa un regard qui semblait signifier : « Vous êtes sûre de vouloir faire cela ? »

— Il ne s'agit que de plaisir. De pur plaisir, ajouta-t-il d'une voix qui l'obligea à le regarder dans les yeux... non sans avoir au préalable jeté un rapide coup d'œil en direction de son lit.

Oh, mon Dieu ! Il avait surpris son coup d'œil ! Ses yeux, brillant de curiosité, semblaient formuler d'embarrassantes hypothèses...

Décidément, rien ne lui échappait ! Il lui faudrait absolument surveiller le moindre de ses gestes, la moindre de ses paroles, si elle ne voulait pas mourir de honte avant d'avoir pu se débarrasser de lui.

— Qu'est-ce que vous attendez pour jouer ? dit-elle sèchement, reportant sur lui la fureur qu'elle ressentait contre elle-même.

— Impatiente, avec ça ! fit-il remarquer sur un ton de badinage J'aime assez cela chez une femme, ajouta-t-il en lui adressant un clin d'œil.

Puis, sans lui laisser le temps de décider s'il venait ou non de faire une allusion sexuelle, il déposa très calmement son jeu sur la table.

— Gin.

Elle le regarda, bouche bée.

— Pas question ! Pas si tôt.

— Peut-être devriez-vous couper les cartes, la prochaine fois, dit-il en souriant.

Elle se mit tranquillement à compter ses points. La victoire ultrarapide de Web la laissait fort sceptique. Ainsi que sa manière de lui compter fleurette — car, de toute évidence, il flirtait avec elle, du moins un petit peu.

— C'est ce que je ferai.

La prochaine fois qu'il lui demanderait de jouer avec lui, elle pourrait peut-être aussi obéir à son intuition et lui répondre non, au lieu de prendre en pitié ce pauvre citadin qui *devrait* avoir l'air ridicule dans sa chemise de flanelle pour géant et son pantalon de bûcheron. Au lieu de cela — et malheureusement pour elle —, il avait seulement l'air de ce qu'il était. Beau... C'était à lui que ce mot convenait, et pleinement.

Il avait aussi l'air plein d'assurance, et tout à fait à l'aise. De plus, le calme, la pénombre et l'isolement du lieu lui donnaient même l'air un tout petit peu dangereux...

Elle ne se sentait pas menacée physiquement. C'était pour son pauvre cœur qu'elle craignait. Mais elle ferait en sorte qu'il ne se brise pas une deuxième fois : si elle avait choisi la solitude, c'était justement pour ne pas répéter son amère expérience.

— Mettons un peu de piment dans ce jeu, suggéra-t-il en distribuant à chacun sept cartes.

Puis il posa le jeu restant sur la table et retourna la première carte.

Elle vit un tel feu briller dans ses yeux qu'elle pensa aussitôt à des dizaines de modes de relation possibles — et toutes plus intéressantes les unes que les autres —, ce qu'elle ne manqua pas de se reprocher.

— Et si nous jouions un dollar par point ? suggéra-t-elle.

Il leva les sourcils.

— Vous allez tout me prendre, jusqu'à mon sang ! s'exclama-t-il.

— Comme si vous n'aviez pas les moyens d'acheter assez de sang pour nourrir tous les moustiques du Minnesota pendant mille ans !

— C'est-à-dire..., commença-t-il en riant.

— Et si vous osez encore faire allusion à un contrat exclusif, je cesse immédiatement de jouer !

L'éclair de culpabilité qu'elle vit dans ses yeux lui prouva que c'était exactement ce qu'il avait eu l'intention de faire.

— Cela ne m'est jamais venu à l'esprit ! protesta-t-il.

— Hum... Alors, qu'avez-vous pensé ?

— Vous faire une proposition : si je gagne, je vous accompagne demain partout où vous irez travailler.

Rassemblant ses cartes, elle le fixa droit dans les yeux d'un air soupçonneux.

— Mon job, c'est de parcourir les forêts pour filmer des ours. Ce qui veut dire que vous serez couvert de boue et de piqûres d'insectes. Sans parler des courbatures.

— Ça a l'air encore plus amusant que je ne l'espérais. Je suis prêt à essayer.

— Mais pourquoi ? demanda-t-elle en secouant la tête.

— La curiosité, je crois.

— Au sujet des ours ?

— En partie. Mais surtout, je me demande pourquoi une femme belle et intelligente préfère passer son temps — *tout* son temps, si je comprends bien — à rôder dans les bois, à supporter la chaleur étouffante de la jungle et les cimes glacées des montagnes, sans parler des fleuves infestés de serpents de l'Amazone et des chiques des déserts qui s'introduisent sous la peau... Pourquoi dédaigner la vie confortable de New York, où vous pourriez photographier tranquillement des mannequins capricieux dans des studios à air conditionné, tout en sachant que des milliers de restaurants parmi les meilleurs du monde vous attendent à portée de taxi ?

Après qu'il eut prononcé les mots « femme belle et intelligente », Tonya n'entendit plus grand-chose. Surtout après l'allusion qu'il avait faite auparavant à sa « beauté ».

Deux raisons pouvaient pousser Web à lui parler ainsi : soit il la trouvait réellement belle et intelligente, soit il voulait lui faire croire qu'il la jugeait ainsi. La première hypothèse n'aurait pas dû importer à Tonya, et pourtant, elle lui importait. Beaucoup trop, à en croire la sensation de chaleur qu'elle sentait monter à ses joues.

La seconde hypothèse paraissait beaucoup plus probable, même si elle était moins excitante. Ce qui appelait la question : pourquoi ?

Qu'est-ce qu'il manigançait ?

Peut-être croyait-il encore pouvoir la charmer par ses belles paroles au point de lui faire signer son précieux contrat ! Avait-elle l'air si avide de compliments que cela ? Pire, avait-elle l'air d'une femme qui a besoin de compliments ? Ou bien était-il accoutumé à traiter ainsi toutes les femmes avec qui il négociait dans le cadre de son travail ?

Non. Il était trop fin pour cela. Tout comme la plupart des femmes qu'il connaissait. Elles ne risquaient pas de tomber dans un piège aussi grossier.

Alors ?

Impossible d'imaginer qu'il eût réellement envie de voir les ours de plus près, surtout après avoir failli se faire dévorer par l'un d'eux !

Difficile d'imaginer également qu'il la trouvât réellement belle. Pourtant, elle ne pouvait s'empêcher de prendre cette hypothèse en considération. Et cela l'inquiétait presque autant que ses paroles !

— Vous voulez assister à une chasse aux images ? Pas de problème. Je vous emmène avec moi demain, que vous me battiez ou non aux cartes.

— Dans ce cas, quel sera notre enjeu ?

Son sourire était bien trop espiègle. Si espiègle qu'elle décida sur-le-champ de se montrer sans aucune pitié jusqu'à la fin de la partie.

— Le perdant transportera le matériel photo et tous les équipements.

— Marché conclu.

— J'aime autant vous prévenir que je vais vous administrer une bonne correction, Tyler.

Il sourit. Visiblement, il aimait l'impertinence dont elle faisait preuve.

Mais elle ne tomberait dans aucun de ses pièges. Même s'il lui avait dit qu'elle était belle et intelligente.

Même s'il avait l'air espiègle et détendu. Et incroyablement à l'aise dans la grande chemise de Charlie, tandis qu'il se balançait sur les deux pieds arrière de sa chaise en étudiant son jeu.

Et même si elle ne cessait de s'imaginer enfouie avec lui sous les couvertures du vieux lit tout défoncé, tandis que les ressorts rouillés feraient joyeusement retentir sous eux un concert de grincements… auquel elle ferait écho par un concert de son cru.

Elle ne s'était même pas rendu compte qu'elle fixait le lit des yeux lorsqu'elle l'entendit s'éclaircir la gorge.

— Vous jouez ou quoi ? demanda-t-il, imitant l'impatience dont elle-même avait fait preuve.

Ou quoi ? était décidément l'expression clé de la journée. Lui avait-il fait des compliments sincères, ou quoi ? Et, qu'il soit sensible ou non à ses charmes, allait-elle recouvrer toute sa tête et continuer sa vie comme si de rien n'était, ou quoi ?

Contre toute attente — et malgré son épaule douloureuse —, Web souriait dans l'obscurité en étendant son sac de couchage devant le poêle à bois.

Elle n'avait pourtant fait qu'une bouchée de lui, le battant trois fois en trois parties. De plus, elle s'était révélée bonne gagnante, et lui bien mauvais perdant. Il n'avait cessé de l'accuser de tricheries...

Cependant, s'il l'avait laissée faire, il serait à présent dans le lit, et ce serait elle qui coucherait par terre.

— Ne m'obligez pas à jouer au macho, lui avait-il dit en mimant un air renfrogné qui ne reflétait en rien ses véritables sentiments. Vous appartenez au sexe faible, et moi au sexe fort. C'est mon rôle de dormir à même le sol, puis de chasser l'élan et le caribou pour assurer le déjeuner, pendant que vous ramassez du bois en mâchonnant une petite peau de daim !

Elle avait eu une lueur étrange dans le regard, ce qui était loin d'être la première fois depuis qu'ils s'étaient rencontrés dans cette contrée hostile.

— C'est parce que je vous ai bien botté les fesses aux cartes que je suis obligée de supporter vos âneries ? lui avait-elle demandé en étendant devant le poêle le sac de couchage rempli de duvet.

— Vous êtes obligée de les supporter parce que, pendant que j'étais dans la salle de bains, vous êtes sortie sous la pluie battante pour aller chercher votre sac de couchage dans le hangar, alors que je vous avais dit que j'irais après ma douche.

— J'avais des bottes et des vêtements de pluie secs, et pas vous ! protesta-t-elle. Appartenant au sexe faible, je tiens compte de ce genre de petits détails pratiques.

— Vous ne dormirez pas par terre, un point, c'est tout ! avait-il insisté.

Sans doute avait-elle décidé de ne se disputer avec lui sous aucun prétexte. A moins qu'elle n'ait compris, à la détermination de son regard, qu'il ne céderait pas ? Toujours est-il qu'elle avait cédé.

— Très bien. Comme il vous plaira.

Là-dessus, elle s'était enfermée dans la salle de bains. Lorsqu'elle en était ressortie, quelques minutes plus tard, elle avait tout l'air d'une adolescente de seize ans, avec sa chemise de nuit d'un rouge passé beaucoup trop grande pour elle.

Il avait remarqué ce vêtement accroché à un portemanteau de la salle de bains, mais, subjugué par la lingerie de dentelle suspendue à la corde de séchage, il ne lui avait guère prêté attention...

Elle avait gagné directement son lit — non sans demander à Web de jeter une dernière bûche dans le feu et d'éteindre la lampe avant de s'endormir, puis elle avait remonté les couvertures jusqu'au menton.

Aucune autre parole n'avait été échangée entre eux.

Plus d'une heure s'était écoulée depuis. Dehors, le plus gros de l'orage semblait passé. La pluie et le vent s'étaient un peu calmés.

A l'intérieur de la petite cabane, toutefois, c'était une tout autre histoire.

Ce petit espace clos était tout autant saturé d'électricité que la forêt au plus gros de l'orage. D'ailleurs, Web se trouvait bien forcé de reconnaître que cet orage était la cause de la tension sexuelle qui régnait dans la cabane autant que l'origine de cette situation absurde.

Lui, Web Tyler, homme influent par excellence, directeur de l'un des plus riches et prestigieux conglomérats d'édition du monde libre, à qui les plus grandes célébrités ne refusaient jamais un rendez-vous, qui dînait avec les rois et dormait dans des palaces, cet homme couchait à présent à même le sol dans une cabane balayée par les courants d'air, comme un vulgaire moniteur scout !

Et dans un survêtement gris deux fois trop grand pour lui, par-dessus le marché.

De plus, il se trouvait incapable de penser à autre chose qu'à introduire Tonya, la cheftaine scout, à l'intérieur du survêtement en question !

Le comble de la prétention...

Cela ne lui facilitait pas les choses de savoir qu'il n'était pas le seul à ne pas dormir. Boucles d'Or aux Soixante Ours se trouvait elle-même quelque peu agitée, à en croire les grincements récurrents des ressorts de son lit hors d'âge.

Pas le moindre bâillement, le moindre ronflement, ni la moindre respiration profonde et régulière ne provenaient de cette antique couche, depuis qu'elle y avait glissé son joli petit corps.

Car elle avait un joli petit corps... La lumière de la chandelle n'éclairait pas les coins de la cabane, mais il n'en fallait pas plus pour distinguer les doux contours d'une silhouette féminine que soulignait une chemise de nuit presque transparente à force d'usure... Un simple coup d'œil dans sa direction — involontaire mais opportun — lui avait donné un aperçu de ses courbes généreuses tandis qu'elle s'étendait sur le lit, juste avant de se couler sous les couvertures.

Il se tourna sur le dos, réprima un gémissement — son épaule protestait —, et croisa les bras derrière la tête. Ces mouvements froissèrent le Nylon du sac de couchage et ravivèrent le parfum qu'il essayait tout autant d'oublier que l'image des seins généreux pressés contre la chemise de nuit transparente.

Un parfum de fleurs délicatement féminin, envoûtant et érotique.

L'éternelle histoire des garçons et des filles...

Il fixa longuement les ombres dansantes que les flammes du poêle projetaient sur le plafond pointu. Décidément, il n'y comprenait rien.

Pour la centième fois, il se dit qu'elle n'était pas son type. Et qu'elle ne pouvait pas s'intéresser à lui. La réciproque était vraie, d'ailleurs : il n'avait vraiment pas le temps de commencer une idylle !

Qu'elle refuserait, de toute façon.

Pour la dernière fois, se dit-il, Tonya ne l'intéressait qu'en tant que collaboratrice potentielle dans le domaine professionnel. O.K., il avait décidé de jouer de sa vanité féminine, mais seulement pour parvenir à ses fins. Point à la ligne.

Le lit grinça de nouveau. Ce fut plus fort que lui : il tourna la tête dans sa direction et vit la jeune femme se tourner sur le côté pour faire face au mur. Ses cheveux, qui peu de temps auparavant — alors qu'elle les laissait sécher — tombaient en cascade de boucles jusqu'au milieu de son dos, s'étalaient à présent sur son oreiller comme autant de fils de soie tressés en rubans de lin.

Séduisante et provocante, la douce courbure de sa hanche se dessinait sous le vieil édredon en patchwork, formant un curieux contraste avec la fine vallée que creusait sa taille menue. En troquant sa tenue kaki de camouflage contre ses sous-vêtements de soie rose, elle avait perdu toute dureté et gagné en vulnérabilité.

« Tu n'es pas aussi invulnérable que tu voudrais me le faire croire, pas vrai, chérie ? songea-t-il. Et tu ne m'es pas davantage indifférente… »

Il avait pourtant bien d'autres chats à fouetter !

De toute façon, il ne s'intéressait pas vraiment à elle, se dit-il en se tournant sur le côté, face au mur. Seuls l'ennui, la solitude et l'infernal silence l'avaient poussé à porter le regard sur elle.

Sans parler de la nécessité de lui faire signer le contrat qu'il lui proposait !

Dans ce cas, pourquoi le profond soupir qu'elle venait de pousser le faisait-il sourire ? Il n'avait guère envie de le savoir. Il n'était pas fait pour ce genre d'expérience — le retour à la nature, la solitude, tout ça… Et pourtant, une fois réchauffé et rassasié, il avait vraiment passé une bonne soirée.

Il s'était détendu. Pour la première fois depuis très, très longtemps.

Il avait aussi retrouvé son sens de l'humour. Il avait même oublié qu'il en possédait un.

Et cela, dans une cabane forestière sans électricité, loin du vacarme des rues — loin des *rues*, des sirènes, des flashes publicitaires. Même le téléphone était coupé, et il avait perdu son portable en s'extirpant de la voiture, juste avant qu'un arbre n'écrase celle-ci !

Et puis, il avait pris plaisir à jouer aux cartes avec Tonya Griffin, même si elle s'était un peu trop amusée à lui « botter les fesses », comme elle l'avait dit dans son langage imagé de Terrienne.

Car Terrienne, elle l'était jusqu'au bout des ongles — authentique, endurante… Et féconde, s'il fallait en

croire les courbes généreuses de ses seins et de ses
hanches.

Il ferait mieux de dormir ! se reprocha-t-il en pensant
à la journée du lendemain.

Mieux vaudrait avoir les muscles reposés pour jouer
les porteurs !

Un sacré marché de dupes, d'ailleurs.

Cependant, si tel était le cas, pourquoi souriait-il encore
— et plus largement que jamais — lorsqu'il finit par
s'endormir ? Et pourquoi se sentait-il tellement à l'aise,
étendu sur un sol aussi dur qu'une rue de New York ?

5.

Lorsque Tonya ouvrit la porte de sa cabane, le ciel matinal était d'un bleu sans tache, aussi clair que la nuit avait été noire. Elle se glissa dehors, prenant soin de ne pas réveiller son « invité ».

Un concert de chants d'oiseaux l'accompagna tandis qu'elle descendait les marches de bois détrempées. Mésanges et sittelles pépiaient comme autant de vieillards cancaniers autour des mangeoires débordantes de graines de carthame et de tournesol. Deux colibris la frôlèrent de si près qu'elle sentit le battement de leurs ailes…

— Allons bon ! Qu'est-ce qui se passe encore ?

Tournant la tête, elle aperçut Web en chaussettes sur la première marche. La chemise de flanelle de Charlie béait largement sur sa poitrine. Le pantalon de jogging qu'elle lui avait trouvé pour la nuit glissait sur ses hanches minces. Un tel étalage de peau bronzée et d'abdominaux aurait pu vanter les mérites d'un club de gym ou ceux d'une marque de sous-vêtements.

Décidément, il était bien trop séduisant ! Tout en lui contribuait au feu qui commençait à la dévorer.

Elle porta vivement le regard sur les colibris.

Son cœur battait à peu près aussi vite que leurs petites

ailes. Grands Dieux ! Web Tyler se doutait-il de l'effet qu'il produisait sur elle ?

Dans les vêtements de Charlie, de taille XXXL, il aurait pourtant dû avoir l'air aussi emprunté qu'un sac de charbon ! Mais il était homme jusqu'au bout des ongles, et, sur fond de forêt et de cabane patinée par le temps, sa séduction avait quelque chose de primitif...

Malheureusement, c'était à cause de lui qu'elle avait passé une nuit blanche à se tourner dans tous les sens dans le lit de Charlie.

Il avait de nouveau fait irruption dans sa vie et réveillé tous les sentiments qu'elle avait si longtemps réussi à étouffer...

— Ce sont des colibris, dit-elle pour recouvrer son aplomb. A cette époque de l'année, je pourrais les priver de leurs petites gamelles : ils devraient déjà commencer à migrer vers le Sud.

Elle se tut, haussant les épaules.

— Je n'ai pas encore pu me résoudre à le faire, poursuivit-elle. Ils sont incroyables ! J'adore les regarder voleter de fleur en fleur et se pourchasser comme des avions de combat miniatures.

Décidément, la propriété de Charlie lui manquerait beaucoup lorsqu'elle la quitterait. Les plaisirs qu'elle lui avait procurés étaient innombrables, et ses surprises infinies. Mais ce n'était pas l'idée de quitter ces forêts qui la faisait jacasser ainsi. C'était pour détourner son attention du torse de Web. Ou de ses abdos. Ou encore de ses lèvres que le sommeil avait légèrement enflées. Même sa barbe naissante était séduisante : elle le faisait ressembler à un mauvais garçon ! Elle se prit à se demander jusqu'où il pourrait aller s'il se mettait en tête de le devenir.

Il se mit à bâiller et frotta ses yeux bouffis de sommeil. Au moins, *l'un* d'entre eux avait dormi ! Dès qu'elle aurait nourri les ours qui commençaient à sortir de la forêt, il lui payerait cher la nuit blanche qu'elle avait passée !

— On dirait que la population locale s'apprête à prendre son petit déjeuner, dit-il.

— Oh, cela fait un bout de temps qu'ils sont prêts. Ils sont patients.

A cet instant, un gros ours se dressa sur ses pattes arrière et émit un grognement sonore dans leur direction.

— Votre conception de la patience me semble aux antipodes de la mienne. Vous n'allez pas les rejoindre, tout de même ?

— Nous avons conclu un accord, dit-elle en se dirigeant vers le hangar. Je les nourris et ils ne me mangent pas. Cela fonctionne bien. Vous, par contre, vous auriez intérêt à vous méfier.

— Puisque vous insistez...

Tonya afficha un large sourire. De toute façon, Web n'aurait certainement pas fait un millimètre de plus dans leur direction !

— Vous avez faim, les petits ?

Elle imita le claquement de dents des mères ours.

— Ils s'appellent Jenna et Barbara Bush, dit-elle. Non, regardez plus haut. Là, en train d'escalader ce pin... Ce sont les petits de Laura. Elle les fait grimper jusqu'à ce qu'elle soit sûre qu'il n'y a pas de danger. Seulement alors, elle les fera redescendre. De toute façon, personne ne se mettra à manger avant que les ours les plus âgés ne leur signalent que tout est O.K. Je ne sais pas quel est ce signal, mais soyez certain que les ours, eux, le savent.

Elle emplit les gamelles de nourriture et en plaça sur plusieurs souches d'arbre, sur un certain nombre de petits rochers, et même dans des encoches que Charlie avait creusées dans le tronc d'un cèdre abattu.

— Ce sont de magnifiques créatures, pas vrai ? dit-il lorsqu'elle revint fermer la porte du hangar.

A propos de créatures magnifiques... Chaque fois qu'elle levait les yeux vers lui, elle découvrait une chose nouvelle qui la fascinait.

A cet instant, c'était l'expression de son visage, tandis qu'il se tenait debout, les chevilles croisées, la hanche appuyée contre la rampe de la véranda. Ses yeux brillaient comme ceux d'un enfant à Eurodisney, pleins d'émerveillement et de respect pour la splendeur de la nature.

— Exactement, dit-elle d'une voix douce.

Déconcerté, il porta le regard sur elle.

— Exactement ? Exactement *quoi* ?

— L'expression de votre visage. Le sentiment que vous venez d'éprouver. C'est exactement pour cela qu'une femme comme moi hante les jungles et les forêts. Sans parler des rivières infestées de serpents. Vous finissez par avoir cela dans le sang. C'est bien davantage une passion qu'une profession.

Il hocha la tête d'un air pensif.

— Ouais. Je vois bien le genre de personne à qui cela risque d'arriver. A ceux qui peuvent se passer de certaines choses essentielles comme l'électricité, l'air conditionné ou la télé.

De nouveau, il souriait, il avait retrouvé sa désinvolture distinguée. Mais, l'espace d'un instant, il avait été saisi par la grandeur et la beauté de la scène qu'il contemplait. Il avait compris la passion qu'elle vivait, songea-t-elle. Ce qui ne rendait pas sa présence plus facile à supporter.

Cela le rendait seulement plus humain, plus réel... et beaucoup trop séduisant.

84

— Je vais faire du thé et préparer quelque chose à manger, dit-elle en montant les marches de la véranda. Après, nous devrons nous secouer.

Il soupira profondément. Il était temps de revenir sur terre : la jolie blonde vêtue de rose s'était évanouie avec la nuit, et la cheftaine scout était bien de retour, dans toute la gloire de sa tenue de camouflage.

Aujourd'hui, elle portait un pantalon cargo et un sweat-shirt vert à capuchon. Sans oublier, bien sûr, ses grosses bottes.

— Cette tenue de combat te va comme un gant ! grommela-t-il dans sa barbe.

« Mais je connais ton secret, mademoiselle Laitue Tout de Vert Vêtue ! » ajouta-t-il en lui-même, non sans quelque suffisance.

Tonya avait son talon d'Achille. Un doux talon d'Achille féminin : les sous-vêtements de soie et de dentelle. Et puisque les minuscules bouts d'étoffe n'étaient plus suspendus à la tringle du rideau de la douche, Web savait assez précisément sur quelle anatomie féminine se trouvaient aujourd'hui cette petite culotte et ce soutien-gorge…

Allons bon ! Le voilà reparti sur ce terrain miné ! Mieux valait cependant ne point trop s'y aventurer.

Ce contraste vestimentaire — rien d'autre ! — produisait sur lui un effet érotique et le détournait de sa mission, aidé en cela par son cerveau, qui, depuis son arrivée semblait traiter et assimiler de travers les différentes informations qui lui parvenaient. Peut-être après tout ce gros arbre lui était-il réellement tombé sur la tête, hier soir.

Du café. C'était ce qu'il lui fallait pour s'éclaircir les idées et se mettre réellement au travail.

Bien décidé à prendre le taureau par les cornes — c'est-à-dire prodiguer quelques cajoleries à Tonya pour commencer —, il suivit la jeune femme dans la cabane. Elle mettait déjà à chauffer la vieille bouilloire de cuivre. Mais ce matin, il n'avait aucun besoin de menthe ou de camomille !

— On ne peut même pas être en manque de caféine, ici ! grommela-t-il en vérifiant sur la corde à linge que ses vêtements étaient secs.

Dieu merci, ils l'étaient — pour la plupart, en tout cas. Ainsi que ses bottes.

Sans doute Tonya avait-elle décidé de le prendre en pitié, car, lorsqu'il sortit de la salle de bains — ayant revêtu ses propres vêtements —, une antique cafetière en métal chauffait sur le feu arrière de la cuisinière.

Web soupira d'aise, inspirant au passage le parfum de son breuvage favori.

— Tonya, je vous adore !

— Adorez plutôt Charlie, suggéra-t-elle. Ce sont ses provisions.

De nouveau, elle lui adressait ce sourire dont, jusque-là, elle s'était montrée si avare — et qui lui creusait si adorablement les fossettes. La transformation de son visage le subjugua tant qu'il lui fallut quelque temps pour se rendre compte qu'elle n'était pas seulement en train de lui sourire. Elle s'efforçait également de ne pas rire.

— Qu'y a-t-il de si drôle ? s'inquiéta-t-il, non sans vérifier d'un coup d'œil que les pans de sa chemise ne sortaient pas de son pantalon.

— Quel harnachement ! Je suppose que vous avez aussi chez vous un Stetson, des jambières de fourrure et de grandes bottes en peau de serpent pour les jours où vous voulez jouer au cow-boy ?

86

— Hé là, vous !

Il s'efforça de paraître offensé, alors qu'il se sentait surtout ridicule, avec son pantalon de brousse dernier cri et sa veste de safari brune de grand couturier, dotée d'innombrables poches et fermetures Eclair et Velcro.

Lui, il se serait volontiers contenté de son vieux sweat-shirt de l'Université de New York, mais c'était Pearl qui avait fait ses bagages, et il n'avait pas eu le temps de tout refaire.

— Sachez que c'est ainsi que s'habillent les gens huppés de New York lorsqu'ils font une cure de nature ! protesta-t-il d'un air outragé.

— Bien sûr, bien sûr...

Sans se départir de son air ironique, Tonya lui tendit une tasse de café.

— C.C. Bozeman n'apprécierait pas du tout s'il vous entendait vous moquer de son tout dernier costume de survie, renchérit Web.

— Mais qui voudriez-vous que je critique, puisque vous, cela ne vous choque même pas de le porter ?

— Je vous suis bien trop reconnaissant de faire du café pour m'indigner de ce coup porté à mon ego.

— Au fait, vous devriez huiler vos bottes, si vous voulez qu'elles tiennent le coup.

Il sourit en la voyant promener de nouveau son regard sur son accoutrement. De toute évidence, elle n'était nullement impressionnée.

— En effet, si je voulais m'attarder dans les parages afin de tronçonner quelques arbres, c'est ce que je ferais.

— Vous m'y faites penser : comment se porte votre épaule ?

— Bien. Un peu raide, c'est tout.

— En tout cas, j'espère bien que vous n'allez pas vous prendre trop au sérieux dans ces fringues pompeuses !

— Aucun risque !

Il se mit à rire, un peu déconcerté cependant de s'intéresser tout autant à Tonya ce matin que durant la nuit, en dépit de la résolution qu'il avait prise de ne plus penser désormais qu'aux affaires.

— Je me sens comme l'un des personnages d'un film d'action à petit budget, poursuivit-il. Il ne me manque plus qu'un casque colonial et un monocle, et je pars à la découverte de tribus indigènes cachées au cœur de l'Amazonie. En attendant, ici, c'est vous que je voulais trouver ! Pour vous proposer un contrat — dont je me refuse absolument à parler pour l'instant par instinct de conservation ! ajouta-t-il vivement, afin de couper court aux protestations que Tonya s'apprêtait visiblement à formuler.

Le café était aussi bon que ce que laissait espérer son arôme. Il s'installa à la table pour le déguster, sans perdre de vue Tonya qui s'affairait autour de l'évier et du poêle.

D'accord, reconnut-il, c'était plutôt machiste de sa part, mais quel joli spectacle qu'une jolie femme en train de faire la cuisine pour lui, même si elle avait tressé tous ses cheveux en une natte et s'était affublée d'un accoutrement digne de Terminator.

« Nom d'une pipe, Tyler, tu as bien changé d'avis depuis l'instant où tu l'as aperçue pour la première fois, il n'y a guère plus de douze heures ! »

Web se frotta le menton, qu'il n'avait guère songé à raser. Ses premières impressions étaient rarement les bonnes. Tonya le séduisait parce qu'elle était autonome, énergique, saine. Et qu'elle pouvait évidemment être très belle si les circonstances l'exigeaient.

Il l'imagina dans une robe de grand couturier. En soie bleue, pour s'accorder à ses yeux. Une robe très près du corps, laissant les épaules dégagées...

Ou bien en rose, sa couleur favorite. Avec de la dentelle et très peu de tissu, pour mettre en valeur ce petit corps coquin qu'elle savait si bien dissimuler.

— Puis-je faire quelque chose pour vous aider ? demanda-t-il soudain, soucieux d'empêcher son esprit de s'égarer davantage là où il n'avait rien à faire.

Tournant la tête, elle lui jeta un coup d'œil surpris.

— Bien sûr. Vous pouvez nous servir un jus de fruits et mettre la table. Et me dire comment vous voulez que je prépare les œufs.

— Comme vous voudrez. Je n'ai aucune préférence.

La laissant à ses fourneaux, il se mit en quête d'assiettes, de verres et de couverts qu'il disposa ensuite sur la table, si peu assortis qu'ils fussent.

A sa grande surprise, il se sentait détendu et à l'aise. Cet environnement peu confortable lui était des plus étrangers, cependant, il ne souffrait absolument pas du mal du pays. Poussant un profond soupir, il se souvint qu'il n'était pas venu pour se reposer, même si Pearl était d'un avis contraire. Il était ici pour faire signer un contrat à Tonya, en utilisant tous les moyens nécessaires. C'était la raison principale pour laquelle il devait se montrer amical envers elle. De toute façon, des relations de ce genre — entre l'amitié et le flirt — ne pouvaient que lui faire du bien, tout en l'aidant à atteindre son objectif professionnel.

— D'habitude, je ne prends pas de petit déjeuner aussi riche, dit-elle en posant deux assiettes remplies d'œufs sur la table. Mais il vaut mieux que j'utilise les provisions du Frigidaire au cas où l'électricité ne serait pas rétablie avant longtemps.

— Cela peut arriver, par ici ? demanda-t-il en commençant à manger.

— Tout dépend du nombre de lignes qui sont tombées, répondit-elle en haussant les épaules. Et des difficultés que rencontreront les réparateurs pour y accéder. Mais j'y pense : nous devrions aller voir dans quel état se trouve votre voiture. On peut peut-être encore faire quelque chose pour elle.

— Elle est bonne pour la casse, répliqua-t-il d'un air absent en portant sa fourchette à la bouche. Ces œufs sont délicieux. Comment les préparez-vous ?

— L'air est tellement pur et vif par ici que tout paraît bon — même ma cuisine.

— Cela m'étonnerait que ce soit la seule raison. Où avez-vous appris à cuisiner ?

— A l'école de la faim et de la nécessité. Rien de tel que d'être obligée de faire avec peu ! Où que j'aille, j'emporte mes épices avec moi.

— En tout cas, je le confirme : votre cuisine est absolument délicieuse.

Tout comme elle-même, songea-t-il, les yeux fixés sur les adorables taches roses qui rehaussaient ses joues. Décidément, elle ne savait pas recevoir les compliments. Mais elle les appréciait grandement — ce qui ne pouvait que l'aider à parvenir à ses fins... Elle avait l'air si jeune, à cet instant. Et, à cet instant, un souvenir surgit dans sa mémoire, d'abord aux contours flous, mais qui se précisa peu à peu...

Sidéré, il se cala sur sa chaise, sans cesser de la fixer.

— Je veux bien être pendu...

— Comment ? dit-elle, soudain consciente du regard insistant qu'il portait sur elle.

— Je vous connais, j'en mettrais ma main au feu ! Pendant tout ce temps, j'ai essayé d'ignorer une petite voix qui me disait que vous me rappeliez quelqu'un, mais j'avais tort. Vous avez déjà travaillé pour moi, n'est-ce pas ?

Le rose qui colorait ses joues se retira complètement, la laissant livide. Evitant son regard, elle reposa sa fourchette et se leva avec raideur.

— Vous reprendrez du café ?

— Il y a des années de cela, pas vrai ? poursuivit-il tandis que le puzzle se reconstituait dans son esprit. Chez Tyler.

Elle soupira profondément en remplissant sa tasse.

— Eh bien, vous avez mis le temps !

Il n'y avait aucun plaisir dans cette constatation. En fait, il n'y avait pratiquement aucune émotion dans sa voix.

Au contraire, l'excitation de Web ne faisait que croître à mesure que les souvenirs se précisaient dans son esprit.

— Vous aviez les cheveux courts, vous portiez des lunettes... Vous vous appeliez Tammy, ou quelque chose de ce genre.

Elle afficha un sourire davantage empreint de dépit que de gaieté.

— C'est vrai, c'est comme ça que vous m'appeliez quand vous ne vous souveniez plus de mon nom.

— Le soir de la fête de Noël, poursuivit-il, vous aviez un pull rose et une jupe noire...

— Et le cœur trop en fête, ajouta-t-elle, juste au moment où il se souvenait de la suite.

Il se rendait vaguement compte qu'elle faisait la vaisselle puis la rangeait, tandis que ses souvenirs lui revenaient peu à peu.

Il était arrivé en retard à la soirée de Noël de Tyler afin d'éviter une certaine avocate du service du contentieux qui le harcelait depuis plusieurs semaines. Il avait tout de suite remarqué Tammy — Tonya — au milieu de la foule. La salle illuminée de décorations de Noël résonnait de rires et de bruit, le champagne coulait à flots...

Il l'avait déjà remarquée une ou deux fois dans les couloirs, les mois précédents. Elle était si mignonne, et si évidemment entichée de lui !

Et ce soir-là, eh bien... elle était toujours aussi mignonne et lui lançait des coups d'œil pleins d'espoir. Et lui, il fuyait désespérément — qui donc ? Ah oui, Rébecca. Rébecca du service contentieux, avec ses jupes ultracourtes et ses mains baladeuses. Il avait autant besoin d'échapper à Rébecca que Tonya au champagne.

Il s'était dit que le meilleur moyen d'éviter l'avocate et ses plaidoyers insistants, c'était de raccompagner Tonya chez elle. Il avait pensé faire d'une pierre deux coups, car il protégerait en même temps la nouvelle recrue de Tyler contre le perfide William Wycoff, qui tournait autour d'elle depuis une heure.

Elle était adorable, toute rougissante et remplie d'admiration pour le héros qu'il représentait à ses yeux. Mais trop timide, avait-il pensé, pour prendre la moindre initiative.

Seigneur Dieu, comment pouvait-on se tromper à ce point ?

92

Lorsque le taxi s'était arrêté à l'adresse qu'il lui avait indiquée, il lui avait souhaité une bonne nuit et… sans savoir comment, il s'était retrouvé en train d'embrasser la plus douce et la plus câline des jeunes filles.

Il avait alors mis fin à leur baiser et s'était forcé à se séparer d'elle, avec un sourire amusé.

Par la suite, des mois durant, il avait cherché à se persuader que leur baiser n'avait rien signifié, ni pour l'un ni pour l'autre. Que ce feu d'artifice n'avait été que le produit de son imagination.

En réalité, elle l'avait subjugué. A cause de ce baiser passionné et innocent, il avait bien failli la suivre dans son appartement. Ce qui aurait pu se produire alors l'aurait rendu fou de bonheur, mais le lendemain le regret l'aurait taraudé. Elle aussi.

Tout d'abord, elle était si jeune… Du moins, il le paraissait. Ensuite, il n'aurait pas voulu profiter de sa naïveté. Mais la véritable raison, c'était que son baiser l'avait ému jusqu'aux profondeurs de son être.

Il n'avait alors que vingt-trois ans, mais il connaissait déjà la différence entre les baisers annonçant une nuit formidable et ceux qui promettaient une *vie* merveilleuse. Le baiser de Tonya était de ces derniers. Et, tandis qu'il la tenait dans ses bras, consentante, il avait éprouvé une impression d'éternité…

Cet instant de folie l'avait effrayé.

Et à présent, tandis qu'il la voyait s'affairer autour de l'évier, ce souvenir l'effrayait tout autant…

— Pourquoi ne m'avez-vous rien dit ? demanda-t-il en toute sincérité.

— Voyons… Dans quel but aurais-je ravivé le souvenir de l'une des expériences les plus embarrassantes de ma vie ?

— Embarrassante ? Je la croyais flatteuse, au contraire, cette expérience.

— Vous vous êtes enfui en courant, fit-elle remarquer d'une voix calme, tout en plaçant son torchon à vaisselle sur son épaule.

Elle s'adossa à l'évier pour lui faire face.

— Vous étiez... Comment pourrais-je dire cela avec délicatesse ?

— Pompette ? proposa-t-elle.

— Hum, peut-être un peu. Mais avant tout, je ne voulais pas profiter de la situation. Et puis, il y avait une autre raison : vous étiez si jeune.

— J'étais surtout stupide.

— Pourtant, vous aviez bon goût dès qu'il s'agissait de choisir un homme, dit-il, espérant la faire sourire.

Au lieu de cela, elle pouffa de rire.

— Ouais, l'arrogance m'a toujours branchée.

— Qu'est-ce que vous voulez, nous sommes ainsi, tous les deux. Nous n'y pouvons rien.

Finalement, il obtint le sourire qu'il avait désiré.

— Alors, que vous est-il arrivé ensuite ? J'ai essayé de vous revoir après Noël pour prendre de vos nouvelles, et on m'a dit que vous ne faisiez plus partie de l'entreprise.

En réalité, il avait tant pensé à elle et à ce baiser qu'il avait décidé qu'il n'y avait qu'un moyen de se sortir de cette obsession : l'embrasser de nouveau, dans l'espoir que la seconde expérience ne serait pas aussi enthousiasmante que la première — du moins que ce qu'elle était devenue dans son imagination.

— J'ai été virée.

— Vous voulez dire licenciée ?

Elle hocha la tête.

94

— L'une des nombreuses victimes d'une grosse restructuration.

— C'est vrai, je m'en souviens maintenant. Les affaires étaient difficiles, cette année-là.

— Et j'étais au bas de l'échelle.

Il la regarda fixement.

Il n'en revenait toujours pas que Tonya Griffin, reconnue par tous les directeurs de publications comme la meilleure photographe de sa spécialité, avait été cette timide jeune fille qui lui avait fait tant d'impression, de nombreuses années auparavant.

Jamais il n'avait oublié son baiser, doux et désespéré. Il n'avait pas davantage oublié les sentiments qu'elle avait fait naître en lui. Des sentiments qui l'émerveillaient encore, si longtemps après, et qu'il croyait ne plus jamais revivre. Cette infime certitude d'avoir vécu quelque chose d'exceptionnel, capable de changer toute une vie...

Pourtant, il avait choisi de vivre sans elle. Il ne se sentait pas prêt à se ranger à vingt-trois ans — et pas davantage douze ans plus tard ! A l'époque, il jouissait pleinement de la vie et ne voulait pas se lier. A présent, c'était parce qu'il n'avait pas trouvé celle avec laquelle il aimerait faire sa vie. Une femme capable de le bouleverser comme l'avait fait la petite Tonya, qui avait déversé tout son cœur dans son baiser.

De toute façon, il n'avait rien à offrir à une femme comme elle. Douze ans plus tôt, cela aurait pu être différent, s'il avait été plus futé... Mais le temps l'avait rendu cynique, avait enfoui au plus profond de lui-même les émotions qu'autrefois il pouvait laisser fleurir. Il lui suffisait de jeter un coup d'œil à sa propre famille pour se rendre compte qu'ils n'étaient pas taillés pour la longévité dans le domaine des sentiments.

Par contre, il était obligé de poursuivre sa relation professionnelle avec Tonya Griffin : pas question en effet de renoncer à la faire travailler pour son magazine. C'était une question de vie ou de mort pour la publication. Sans elle, il perdait Bozeman. Et sans les dollars de Bozeman, *Les Grands Espaces* était coulé avant même d'avoir pris la mer.

Elle s'éclaircit la gorge. Visiblement, son silence la mettait mal à l'aise. Pour une fois, ses pensées l'avaient éloigné d'elle.

— Alors, si je comprends bien, vous vous êtes mise à votre compte.

— Bien obligée. Je manquais trop d'expérience pour trouver un travail à New York. Une fois mes économies épuisées, je suis rentrée à la maison pour panser mes blessures.

— Et ensuite ?

— Ensuite, l'inaction m'a presque rendue folle. Plus que jamais, je voulais être photographe. Alors je me suis mise à prendre des photos lors d'anniversaires, de mariages et de cérémonies de remise de diplômes... N'importe quoi pour me faire un peu d'argent ! Entre temps, je parcourais la campagne et prenais des clichés d'animaux, de papillons, de plantes...

Elle s'interrompit, se dirigeant vers un coin de la cabane. Elle ramassa un sac à dos et entreprit de le remplir de vêtements et de matériel.

— Un jour, poursuivit-elle, j'ai commencé à envoyer mes œuvres à diverses publications. J'ai fini par en vendre quelques-unes, puis de plus en plus... jusqu'à ce que le directeur d'un petit magazine du Wisconsin me demande de faire une série de clichés pour lui.

— Et le reste, comme on dit, appartient à l'Histoire, conclut Web avec un large sourire — alors qu'il se sentait plutôt d'humeur morose.

Il avait l'impression que ses jambes se dérobaient sous lui depuis qu'il savait qui elle était.

— Ecoutez, dit-elle en fermant le sac à dos, cette petite promenade dans le temps a été un régal, mais la journée sera gâchée si nous ne partons pas au plus vite. Je ne peux pas prendre des photos tout de suite.

— Et pourquoi donc ?

— Les choses ne sont pas si simples. Prendre des clichés dans de bonnes conditions nécessite des tas de préparatifs. Vous comprendrez mieux lorsque je vous demanderai de m'aider.

Visiblement, cette tension qui vibrait entre eux la mettait à présent mal à l'aise, et elle souhaitait s'éloigner de l'intimité de la cabane.

Lui aussi avait grande envie de prendre un peu l'air. Et quelque distance.

Avec ses souvenirs.

Car soudain, la promesse qu'il s'était faite à lui-même douze ans plus tôt lui était revenue à l'esprit.

En effet, à cette époque, il s'était promis d'embrasser Tonya une deuxième fois, à seule fin de pouvoir enfouir le souvenir de leur premier baiser sous une montagne d'édredons.

Et cette promesse ne contribuait pas qu'un peu au malaise qui l'envahissait...

Certes, il pouvait la combattre, la nier de toutes ses forces... Mais, au fond de lui-même, il savait bien que ce serait en vain.

Car, en vérité, enfoui sous une montagne d'édredons, c'était exactement là où il désirait ardemment se trouver… avec elle.

Il se frotta le menton, jura dans sa barbe et sortit de la cabane derrière elle. La journée et celles qui allaient suivre promettaient d'être bien longues…

Il n'avait pas fait un pas dehors qu'un moustique l'avait déjà piqué dans le cou.

Oui, les jours à venir seraient très, très longs…

6.

La première chose à faire était de se rendre compte de l'état de la voiture de location.

A trois mètres environ de l'épave, Tonya aperçut un bout de métal qui dépassait de la boue. Elle le ramassa et le tendit à Web.

— Eh bien, dit-il, j'aurai au moins récupéré mon téléphone portable !

Bien entendu, il ne put le faire fonctionner. Même la technologie la plus avancée ne pouvait résister à tant d'eau et de boue.

Avec un soupir, il jeta l'engin inutile en direction du pare-brise béant de la voiture. Rebondissant sur une branche, il atterrit sur le siège avant détrempé et recouvert de débris de verre.

— Cette voiture est bonne pour la casse, commenta Tonya, les poings sur les hanches.

— J'avais l'impression que je vous en avais déjà informée.

Ignorant sa remarque, Tonya secoua la tête.

— Quant à la route, poursuivit-elle, elle sera inutilisable pendant plusieurs jours.

— Cela aussi, j'ai bien l'impression de l'avoir déjà mentionné.

C'était vrai, mais elle s'était accrochée à l'espoir qu'il avait exagéré.

Malheureusement, il n'en était rien. Il était dans l'incapacité de bouger pour un moment. Ce qui impliquait qu'elle l'était aussi. Avec lui.

Cette situation aurait pu être tolérable avant. Avant qu'il se souvienne d'elle, avant qu'il se souvienne qu'elle s'était couverte de ridicule avec lui...

Mais à présent, tout lui était revenu à la mémoire, et cela rendait d'autant plus insupportable le fait qu'il avait vu ses petits sous-vêtements roses.

Jamais elle ne saurait pourquoi ce détail particulier ne cessait de lui tourner dans la tête, comme si sa vie en dépendait entièrement !

C'était peut-être à cause de l'intimité qu'ils avaient partagée. Ils avaient passé la nuit dans la même cabane, dans la même pièce... Elle avait partagé son repas avec lui, avait touché sa peau nue lorsqu'elle avait ôté sa chemise pour examiner sa contusion.

Grands Dieux ! Elle n'avait *vraiment* pas besoin de penser à cela maintenant !

Ni de penser à la douceur de sa peau, à la dureté de ses muscles... Ni à l'odeur de la pluie sur lui, tandis qu'il marchait à l'adrénaline...

Elle n'avait pas non plus besoin de penser à leur baiser dans le taxi, tant d'années auparavant, car il lui donnait encore le vertige et lui échauffait les sangs comme s'ils venaient de l'échanger la veille !

Se mêlant à ceux d'aujourd'hui, ces sentiments d'hier la portaient au bord de l'ébullition. Et de cela, elle n'avait *absolument* pas besoin...

Il serait toujours Web Tyler. Et elle, elle demeurerait à jamais Tonya Griffin — deux mondes destinés à ne jamais se rencontrer. Sauf lorsqu'un invraisemblable accident d'origine cosmique les faisait échouer au même endroit et en même temps.

— Eh bien, dit-elle, bien décidée à tenir bon, aviez-vous quelque chose à récupérer ici ?

Il secoua la tête.

— A l'exception du téléphone portable, toutes les affaires sont dans mon sac et ma mallette.

— Dans ce cas, allons au bord du lac vérifier que le bateau de Charlie n'a pas souffert de la tempête. Le vent d'Est a dû frapper la baie de plein fouet.

— C'est vous le boss, répliqua-t-il en lui emboîtant le pas. Je me contente de vous suivre.

C'était justement cela qui inquiétait Tonya.

Jusque-là, elle ne s'était jamais préoccupée de son apparence physique. Du moins ces dernières années : elle travaillait dur et s'habillait en conséquence. Mais à présent, cela la dérangeait davantage qu'il ne l'eût fallu que Web emporte avec lui à New York le souvenir de sa tenue kaki, de la boue qui lui tenait lieu de maquillage, et des jambes couvertes de bleus qu'il allait avoir sous le nez chaque fois qu'ils se déplaceraient au cours de la journée.

Des jambes surmontées de la partie de son corps qu'elle aimait le moins...

Si Web devait absolument choisir quelque chose dans l'anatomie de Tonya, c'étaient ses adorables petites fesses qui auraient sa préférence — en même temps qu'elles seraient sa perte. Depuis qu'il les avait devinées derrière son short de camouflage, il rêvait de poser les mains dessus.

Certes, la jeune femme possédait bien d'autres attraits. Ses cheveux, par exemple. La natte lisse qui dansait devant ses yeux avait quelque chose de sexy, même s'il la préférait telle qu'il l'avait vue la veille, un peu effilochée, aussi soyeuse que la plus soyeuse des écharpes des grands couturiers de Park Avenue.

Et puis, il y avait ses yeux, bleus comme un ciel de printemps. Et ses lèvres, aussi pleines et succulentes que des fruits.

... Et s'il ne changeait pas le cours de ses pensées, il ne pourrait bientôt plus s'empêcher de la rejoindre et de poser les mains sur...

Web ralentit sa marche.

Cette mer d'arbres, cet océan de silence... Tout ce temps à ne pouvoir rien faire d'autre que penser à Tonya. Tout ça le poussait au-devant des ennuis, il en avait bien peur !

Et dire que, douze heures plus tôt, il s'était senti tout excité à l'idée d'avoir Tonya Griffin pour lui tout seul — c'est-à-dire d'avoir tout le temps de la charmer jusqu'à ce qu'elle signe ce fameux contrat avec Tyler-Lanier !

A présent, il lui faudrait déployer des efforts surhumains pour que cet objectif n'inclue pas une phase de séduction pure et simple.

— C'est encore loin ? grommela-t-il, furieux contre lui-même d'avoir laissé vagabonder son esprit sur des territoires qu'il s'était interdits.

Elle poussa un profond soupir. Visiblement, sa patience était soumise à rude épreuve.

— Jamais vous ne vous lasserez de poser toujours la même question ?

— Vous êtes sûre d'être sur le bon chemin ? Nous ne sommes pas perdus ?

— En tout cas, je suis sûre que moi, je vais me lasser de vous répondre !

— J'aimerais bien savoir comment diantre vous vous orientez ici ! Pas le moindre panneau indicateur. Pas même une miette de pain. Que des rochers et des arbres… Tiens ! s'exclama-t-il quelques instants plus tard. Que le diable m'emporte : un lac !

Ils venaient de déboucher sur une clairière qui elle-même s'étendait jusqu'aux rives d'un lac immense.

— Cette fois-ci, vous êtes content ?

— C'est un bien grand mot. Suis-je content de ne pas m'être perdu dans la forêt ? Sans doute. Suis-je content d'apercevoir là-bas près de la rive ce bateau échoué au milieu des rochers ? Pas vraiment.

Tonya exhala un soupir.

— C'est exactement ce que je craignais, dit-elle. Le vent a dû balayer la baie, et le bateau a rompu ses amarres. Charlie adore ce canot. S'il lui est arrivé quoi que ce soit, il risque de ne jamais s'en remettre.

Web plissa les yeux pour mieux distinguer les contours de l'embarcation. Il n'avait rien d'un loup de mer, mais au moins il pouvait dire qu'il s'agissait d'un bateau en aluminium d'environ six mètres de long. Sans pare-brise et sans gouvernail. Et même sans moteur. Un simple bateau à rames, tout cabossé et plutôt ancien, par-dessus le marché. Quant à la peinture, il n'en avait pas vu depuis sa construction, ce qui remontait sans doute à l'époque où Charlie était un jeune homme.

— Qu'est-ce qu'un homme peut aimer dans un tel rafiot, exactement ? s'enquit-il.

Il commença à se sentir vraiment mal à l'aise en voyant Tonya enlever ses chaussettes.

— Vous n'allez tout de même pas me dire que vous voulez monter dedans ?

— L'histoire commande, répondit-elle en remontant les jambes de son pantalon jusqu'aux genoux. Charlie et ce bateau ont une histoire en commun. C'est très important pour un homme comme lui.

— L'histoire, c'est très beau, répliqua-t-il en jetant de nouveau un coup d'œil sur la barque. Mais la seule question à se poser est la suivante : ont-ils un avenir en commun ?

— C'est justement ce que je veux vérifier.

Une fraction de seconde plus tard, elle s'avançait déjà dans l'eau.

Il savait qu'il le regretterait, mais il ne put empêcher son côté macho de redresser la tête et d'exiger qu'il pose cette question :

— Vous avez besoin d'aide ?

Elle tourna la tête et mit la main en visière devant ses yeux pour les protéger du soleil.

— Vous savez nager ? lui demanda-t-elle.

Oui, il savait nager. Plus ou moins.

— Assez bien.

Elle le considéra un moment, puis sourit.

— Je vous appellerai si j'ai besoin de vous.

Il n'en demandait pas davantage. Le temps s'était adouci depuis la fin de la tempête, mais on était déjà en septembre, et il y avait gros à parier qu'à cette latitude l'eau soit plutôt fraîche.

Les mains sur les hanches, il la regarda longer la rive avec de l'eau jusqu'aux genoux. Le bateau s'était échoué à une vingtaine de mètres du petit quai délabré auquel il avait été amarré. Il essaya de se persuader qu'il n'avait aucune raison de culpabiliser : c'était Tonya qui menait les opérations, et elle devait savoir ce qu'elle faisait.

La proue semblait bien calée entre les rochers, mais un léger ressac imprimait à la poupe un mouvement de va-et-vient qui la faisait régulièrement heurter des pierres avec un crissement.

— Comment se porte-t-elle ? cria-t-il dès qu'elle eut sommairement examiné l'embarcation.

— Quelques contusions, mais la carcasse paraît solide. Je vais la vider, puis essayer de la dégager.

Rester tranquillement sur la rive tandis qu'elle marchait dans l'eau était une chose. La laisser écoper puis dégager la coque toute seule, en n'ayant à supporter pendant ce temps que quelques moustiques et autant de coups de soleil, c'était davantage que n'en pouvait supporter son orgueil de mâle.

Il poussa un soupir à fendre l'âme Puis, serrant les dents, il se débarrassa de son sac à dos, de ses bottes et de ses chaussettes, retroussa les jambes de son pantalon et... se mit à fixer l'eau avec une grande intensité.

— Je sens que je ne vais pas aimer, grommela-t-il.

Il ne put s'empêcher de proférer un juron sonore lorsque ses orteils entrèrent en contact avec l'eau glacée. Comment diantre pouvait-elle supporter une telle épreuve ? se demanda-t-il ensuite, à chacun de ses pas raides et maladroits. Il avait l'impression de marcher entre des cubes de glace — et *sur* des cubes de glace. Aiguisés et glissants. Il n'avait jamais rien senti de si froid depuis... En fait, il n'avait jamais rien senti de si froid, point à la ligne.

Même la tempête qu'il avait essuyée avait été moins glacée — de peu, il est vrai.

Pour s'empêcher de grimacer et de crier de douleur à chaque pas, il dut serrer les mâchoires et se traiter chaque fois d'une bonne douzaine de noms d'oiseaux — y compris celui de poule mouillée.

Il n'avait pas besoin de regarder Tonya pour savoir qu'elle s'efforçait de ne pas rire. S'il avait été à sa place, il se serait certainement moqué, lui aussi, de l'idiot trébuchant et empoté qui s'avançait dans sa direction.

— Tout va bien ? demanda-t-elle lorsqu'il s'effondra contre le flanc du bateau.

— Je ne me suis jamais senti mieux ! répondit-il en grinçant des dents.

Il l'admira de ne pas éclater de rire tandis qu'il se remettait péniblement sur ses pieds en prenant appui sur un taquet.

— Je vous suis reconnaissante de votre aide.

— Tout le plaisir est pour moi. Que puis-je faire d'utile ?

— J'ai écopé toute l'eau pendant que vous, heu… marchiez pour me rejoindre. Mais je crois que le bateau est toujours échoué sur les rochers. Pourriez-vous m'aider à le dégager ?

— Aucun problème.

La bonne nouvelle, c'était qu'il venait de sortir de l'eau glacée.

La mauvaise, c'était que ses jambes étaient aussi insensibles et répondaient autant à ses ordres que deux bouts de bois.

Bien entendu, le dessous de ses pieds n'avait pas du tout la même insensibilité. Au contraire, tandis qu'il boitillait vers la proue de la barque, il sentait l'angle de chaque pierre lui entrer dans la chair comme autant de rasoirs effilés.

106

— O.K., à trois, vous soulevez la proue et vous la poussez !

Pour l'aider, Tonya s'arc-bouta du côté tribord de l'embarcation.

Obéissant, Web s'agrippa au côté bâbord, piétina quelque temps à la recherche d'un terrain solide, puis rassembla ses forces en attendant son signal.

A trois, il poussa autant qu'il put.

Le résultat fut, de nouveau, un ensemble équilibré de bonnes et de mauvaises nouvelles.

La bonne nouvelle fut que la barcasse se dégagea des rochers avec autant d'aisance que si elle avait glissé sur des rails bien huilés.

La mauvaise fut que, l'orgueil meurtri à la suite de sa marche peu glorieuse pour rejoindre Tonya et ne pensant qu'à l'impressionner, il poussa avec autant de force que s'il s'était agi de dégager le Titanic. En conséquence, lorsque la barque se mit à avancer, il en fit autant. En tout cas, la moitié supérieure de son individu, car ses pieds étaient trop bien calés en vue de cet effort gigantesque. Le résultat instantané fut un baptême aussi imprévu que glacé.

Le visage totalement immergé, il se débattit dans approximativement quarante-cinq centimètres d'eau comme un cabillaud pris dans un filet de pêche. Toute sa vie défila devant ses yeux, ainsi que la notice nécrologique qui risquait d'être publiée en gros titre dans ses propres magazines :

Un magnat de la presse boit la tasse et se noie dans deux doigts d'eau à deux mètres de son bateau échoué.

Heureusement, deux mains ne tardèrent pas à le saisir par les épaules pour l'aider à se redresser. Puis, d'une vive poussée, elles le firent basculer sur le dos.

— Comment ça va ? s'enquit Tonya en l'aidant à s'asseoir.

Il lui fallut une bonne trentaine de secondes pour reprendre son souffle, puis une minute entière pour récupérer quelques lambeaux de dignité et lever le regard vers les yeux bleus de la jeune femme.

Des yeux remplis de gaieté, et dépourvus du centième de la compassion — voire même de l'inquiétude — qu'il s'attendait à y trouver.

Il s'essuya le visage et considéra sa jubilation à peine dissimulée.

— Heureux de vous avoir donné l'occasion d'une bonne rigolade. Vous en aviez besoin.

Pour toute réponse, elle mit sa main devant sa bouche. Evidemment pour réprimer un éclat de rire, songea-t-il avec morosité. Ou pour dissimuler un accès de culpabilité ?

Avec un soupir, il décida d'opter pour cette dernière hypothèse, tout de même plus flatteuse pour lui.

— Le bateau n'était pas coincé, n'est-ce pas ? demanda-t-il, tandis qu'une lueur de compréhension se faisait dans son esprit.

S'efforçant en vain de réduire le large sourire qui lui éclairait le visage, Tonya haussa une épaule.

— Peut-être pas, en effet.

Il hocha lentement la tête.

— Si je comprends bien, il s'agissait d'un exercice d'entraînement à l'humilité ?

— Vous aviez l'air de vouloir m'aider.

— Et vous vous êtes sentie obligée de m'en fournir l'occasion.

De nouveau, elle haussa les épaules, les yeux toujours remplis de gaieté.

Web afficha un sourire forcé.

— Hum… C'était une très bonne occasion.

— C'est bien ce que j'ai pensé, dit-elle en souriant avec circonspection. Je dois dire que vous avez été très beau joueur.

— J'ai eu un prix pour cela à l'école. Et maintenant, aidez-moi à me relever, ajouta-t-il en tendant la main dans sa direction.

Elle hésita un instant. Un instant de trop.

Juste au moment où elle commençait à se douter de ses intentions, il referma une main de fer sur son poignet.

— A vous de vous retrouver par terre, ma petite !

Il tira plutôt violemment sur son bras, et elle atterrit sur lui en poussant un cri. Puis il la fit basculer sur le dos. A son tour, elle se trouva étendue de tout son long sur le fond boueux du lac.

— Vous n'oseriez tout de même pas !

Elle eut beau crier, il appuya sur son front du plat de la main et lui plongea la tête dans l'eau.

Crachotant, s'étranglant et riant à la fois, Tonya réussit enfin à s'asseoir.

Elle écarta les cheveux qui lui masquaient les yeux et s'essuya le visage. A côté d'elle, transi mais triomphant, Web affichait un large sourire.

— D'accord, admit-elle, je l'ai bien mérité.

— Et comment !

Elle ne savait pas exactement quelle mouche l'avait piquée.

O.K., elle le savait très bien. Son orgueil n'avait cessé de gémir : « Ce n'est pas juste ! » depuis qu'il avait fait resurgir dans sa mémoire cet instant où elle s'était jetée dans ses bras, douze années auparavant, à New York.

Son orgueil avait donc exigé une petite compensation bien légitime. Et lorsque Web s'était avancé en titubant en direction du bateau échoué, elle avait décidé qu'elle tenait sa vengeance.

— Vous êtes un véritable Nordiste, à présent, dit-elle, improvisant une excuse.

Il se releva à grand-peine. Puis, tout dégoulinant, lui tendit la main.

— Alors, si je comprends bien, c'était une initiation ! dit-il d'un ton sarcastique.

De toute évidence, il ne l'avait pas crue une seule seconde.

— Est-ce comme cela, ajouta-t-il, que vous tenterez de justifier la pneumonie que j'aurai attrapée lorsque je m'échapperai enfin d'ici ?

Elle prit la main qu'il lui tendait, commença à se lever... et se retrouva de nouveau les fesses dans l'eau.

— Oh ! Désolé ! dit-il d'un ton enjoué qui démentait ses paroles. Je ne sais pas ce qui s'est passé. Ma main a dû glisser... Vous voulez essayer une nouvelle fois ? Jamais deux sans trois...

Joignant le geste à la parole, il lui tendit la main une fois encore.

Elle vit la surprise se peindre sur son visage lorsqu'elle lui prit de nouveau la main, comme s'il ne s'était rien passé.

Immédiatement après, cette surprise s'accrut lorsqu'elle ancra le pied à l'arrière de son genou et tira fortement.

Lorsque les éclaboussures cessèrent, il avait de nouveau le visage dans l'eau, mais cette fois il parvint à se relever tout seul.

Tous deux assis dans l'eau glacée jusqu'à la taille, ils échangèrent un regard. Enjoué et moqueur chez elle, furieux chez lui.

— Joli plongeon, dit-elle gaiement. Je n'avais jamais vu un plat aussi parfait.

— Moi aussi. C'est incroyable ce qu'on s'amuse.

Il se passa la main dans les cheveux pour les ramener en arrière, ce qui permit à Tonya de remarquer les gouttes d'eau prisonnières de ses épais sourcils.

— Mais si vous faites cela encore une fois...

— Vous ferez quoi ? interrompit-elle. Vous m'abandonnerez ici, me forçant à retrouver seule le chemin de la cabane ?

La menace implicite était aussi claire que l'eau glaciale du lac, qui avait plaqué la chemise de Web contre son torse — ce qui voulait dire que, de la même manière, son chemisier devait se trouver plaqué contre sa poitrine. Plissant les paupières, Web hocha la tête.

— Oh, je vois, dit-il. Vous tenez à être odieuse jusqu'au bout, pas vrai ?

— Disons simplement que, lorsque j'ai l'avantage, je sais en profiter au maximum.

Là-dessus, elle voulut se lever, mais il l'attrapa par le bras et la ramena tout près de lui.

— Vous n'êtes pas la seule à avoir un avantage, ma petite !

Le ton de sa voix baissa. Son regard fit de même.

Tonya se mordit la lèvre. Son corsage mouillé ne laissait rien ignorer, surtout en ce qui concernait l'extrémité de ses tétons durcis.

Et elle savait très bien que le froid glacial n'était pas le seul responsable de cette réaction : Web Tyler y était sans aucun doute pour quelque chose !

Elle avala difficilement sa salive et se força à le regarder de nouveau dans les yeux.

A cet instant, il la tira tout contre lui et l'embrassa.

« Erreur, erreur ! Grave erreur ! »

Ces mots retentissaient dans la tête de Web comme autant de balles de flipper heurtant les bornes, mais pour l'instant il n'en avait cure. Il avait si froid, il était si furieux contre elle — et si excité — qu'il se souciait comme d'une guigne des conséquences, et même du rocher qui n'allait pas manquer de lui décorer la hanche d'un bleu aussi étendu que le Champ de Mars.

Il sentait le corps humide et généreux de Tonya pressé contre le sien, tout comme ses lèvres succulentes, et les petites pointes de ses tétons, dures comme deux diamants, qui s'enfonçaient dans sa poitrine comme autant de forets.

Elle avait tout d'abord serré les lèvres en guise de protestation, puis, sous ses caresses, elle leur avait permis de s'ouvrir, et dans sa bouche la langue de Web n'avait rencontré qu'une ardente douceur.

Ce fut alors qu'il cessa totalement de penser.

Gémissant de désir, il la souleva, l'assit sur ses genoux et donna aussitôt libre cours à sa passion échevelée, dégustant chaque contact, chaque parfum, chaque sensation, de seconde en seconde…

Eteindre son feu, étancher sa soif, voilà tout ce qu'il avait à présent en tête.

Plus aucune pensée de vengeance n'encombrait son esprit lorsqu'il glissa la main derrière la natte de Tonya et lui tint la nuque afin de mieux contrôler son baiser. Ni lorsqu'il se plaqua contre elle, lui prouvant que les effets de l'eau froide sur l'excitation masculine n'étaient pas forcément aussi désastreux qu'on le disait.

Et lorsqu'elle gémit à son tour et lança sa langue impatiente dans une mission d'exploration destinée à lui faire perdre le peu de contrôle qui lui restait —, la satisfaction qu'il éprouva n'eut rien à voir avec le fait d'être désormais à égalité avec elle, et tout avec le partage d'un désir mutuel.

Délicieuse... Il savait bien qu'elle serait délicieuse ! Toutes ces années, il s'était souvenu de l'exubérance débridée avec laquelle elle l'avait embrassé sur le siège arrière du taxi... Depuis, il était passé du désir le plus fou au besoin le plus implacable de la sentir de nouveau dans ses bras. A présent, plus rien n'existait pour lui que cette passion qui dépassait toutes ses espérances. Tandis qu'ils approfondissaient leur baiser, elle se montrait à la fois novice et extrêmement intuitive... Au point qu'ils allaient nécessairement se retrouver, soit nus et au comble de l'extase, soit asphyxiés !

L'un d'eux devait absolument reprendre ses esprit, et sur-le-champ.

Et il semblait bien que cela dût être lui, car à présent elle se trouvait agrippée à son cou, émettant des petits gémissements doux et érotiques.

Le cœur battant — et gémissant à son tour — il leva la tête... et l'embrassa de nouveau bien vite, car la bouche de Tonya avait suivi la sienne. Puis, parvenant enfin à s'écarter d'elle, il lui caressa doucement la gorge de ses doigts écartés et posa le front contre le sien.

— Et si nous poursuivions tout ceci dans la cabane ?

Elle frémit, soupira, leva les yeux vers lui... Ses cils humides et collés semblaient parsemés de pointes.

Puis, d'un bond, elle se leva.

— Que diantre s'est-il passé ? s'exclama-t-elle d'un air horrifié en éclaboussant de l'eau tout autour d'elle.

Elle se passa nerveusement la main dans les cheveux, puis, à l'immense déception de Web, décolla son chemisier de sa poitrine.

— Il s'agit de ce que l'on appelle ordinairement un baiser, dit-il.

Il se leva, la fixant du regard, bouche bée, stupéfait par sa soudaine indignation.

Cependant, lorsqu'il vit ses yeux lancer des éclairs de colère accusatrice, sa propre indignation s'éveilla aussitôt.

— Hé là ! De mon point de vue, vous étiez plutôt consentante !

— Je remets le bateau à quai, annonça-t-elle sèchement, pour toute réponse.

Elle se dirigea vers l'embarcation qui dansait doucement sur les flots.

Les points sur les hanches, il la regarda se hisser dans la barque, mettre les rames en place, puis commencer à les actionner.

— Oh ! Pas la peine de se préoccuper de moi ! grommela-t-il, tandis qu'elle ramait si fort que la barque laissait un sillage derrière elle. Je suis bien ici. Et si je veux partir, il me suffira de marcher de nouveau sur les rochers pointus. Pas de problème !

Qu'est-ce qui lui avait pris ? se demandait-il. Pourtant, elle avait pleinement participé à ce baiser, et bien au-delà du simple consentement. Elle s'était littéralement collée à lui !

114

A présent, il était fou de rage, lui aussi. Au point qu'il sentait à peine les arrêtes tranchantes des rochers sur lesquels il trébuchait en se dirigeant vers le quai.

Furieux contre lui-même de cet instant d'égarement. Furieux contre elle parce qu'elle était en colère contre lui. Furieux contre le destin de l'avoir fait échouer sur les rives de ce lac glacial avec une femme qui aurait dû demeurer pour lui un simple souvenir — et qui de toute évidence aurait préféré qu'il en aille de même pour ce qui le concernait.

Tout ceci était la faute de Pearl. La première chose qu'il ferait en arrivant à New York serait de lui confisquer la clé des toilettes des cadres — un petit règlement de comptes qui lui apprendrait à se mêler de ce qui la regardait !

En attendant, c'était miss Fugue qui lui réglait son compte. Elle avait déjà atteint le quai et s'apprêtait à amarrer le bateau.

Non, il ne voulait pas aimer Tonya.

Il ne voulait pas non plus admirer son cran, ni admettre que c'était précisément le penchant qu'il éprouvait pour elle qui lui avait fait fuir toute relation sérieuse pendant tant d'années... Et, par-dessus tout, il ne voulait pas coucher avec elle. Il ne manquerait plus que cela !

Il se passa la main sur le visage. Sa barbe de deux jours ressemblait à du papier de verre.

Pourquoi se leurrer ? Il la désirait.

Mais il désirait bien davantage qu'elle signe ce fichu contrat. En tout cas, c'était ce qu'il se répétait, et c'était justement cela qui allait le tirer de cette situation.

Donc, plus de bisous mouillés avec Tonya Griffin. Finis les fantasmes où il lui faisait l'amour sur ce grand lit grinçant.

Plus d'erreurs. Un point c'est tout !

7.

Le retour à la cabane se résuma à une marche aussi longue que silencieuse.

Tonya ne l'aurait jamais avoué — surtout pas à Web —, mais le tremblement qui l'affectait était autant causé par le souvenir de leur baiser que par le contact de ses vêtements humides. Sans parler de la colère qu'elle éprouvait.

Il l'avait embrassée, le diable l'emporte. Et elle lui avait rendu son baiser, le diable l'emporte, elle aussi ! Ainsi que son cœur, qui s'affolait chaque fois qu'elle pensait à lui. Et chaque fois qu'elle pensait à lui, le mot « puissance » s'inscrivait dans son esprit. Lui et sa bouche incroyable, merveilleuse. Sa langue affairée. Ses mains vagabondes qui l'avaient remplie d'un désir si brûlant qu'elle avait noué les bras autour de son cou, s'agrippant à lui comme s'il avait dû la sauver du terrible besoin qui l'étreignait...

La seule chose dont elle avait réellement besoin, c'était de se débarrasser de lui... avant que ce soit elle qui lui suggère de recommencer !

— J'ai changé d'avis, dit-elle brusquement en entrant dans la cabane. Je vais faire ma séance de clichés seule.

— Parfait.

Il détournait les yeux, si bien qu'elle ne put savoir s'il était furieux ou soulagé.

Quelle importance ? C'était *son* problème. Elle avait bien assez de son problème à elle : *lui*, et ressentait le plus urgent besoin d'un peu de recul pour savoir comment le résoudre.

Elle se changea en quatrième vitesse, chargea son appareil photo, endossa les sacoches de matériel photographique et s'éloigna d'un pas pesant en direction de la forêt.

Tout ceci était hautement ridicule ! grimaça-t-elle en enjambant un tronc d'arbre abattu. Elle était la seule à blâmer. Elle l'avait taquiné, humilié, puis s'était indignée lorsqu'il avait voulu se venger.

— Tu n'as eu que ce que tu méritais ! marmotta-t-elle.

Puis elle s'obligea à ralentir son allure : elle faisait tant de bruit qu'elle allait faire fuir tous les animaux. Même si ce qu'elle avait récolté était difficile à supporter, il lui faudrait pourtant vivre avec désormais.

Vivre avec le souvenir de ce baiser incroyable et de la proposition qu'il lui avait faite de retourner à la cabane pour achever ce qu'ils avaient commencé.

Et, tout en s'enfonçant dans la forêt, elle réalisait petit à petit qu'elle allait devoir l'affronter de nouveau à la fin de la journée, en sachant très bien qu'elle aussi ne pensait qu'à aller jusqu'au bout du chemin sur lequel ils s'étaient engagés.

Le temps, la distance et l'espace avaient fait merveille. Il n'y avait que cela pour transformer des pensées marécageuses en un cristallin ruisseau de montagne — du moins, c'était ce que se répétait Tonya en reprenant le chemin de la cabane, quelques heures plus tard.

Sa petite incursion dans les bois lui avait fait le plus grand bien. Elle n'avait pas pris une seule photo mais avait tout remis en perspective.

Ses pensées n'étaient jamais claires quand on la bousculait... et Web la bousculait depuis presque vingt-quatre heures maintenant. Finalement, cet... incident dans l'eau avec lui était plutôt insignifiant : un instant d'échauffement déclenché par un excès d'adrénaline. Il le regrettait probablement autant qu'elle.

Aussi, décida-t-elle lorsque la cabane commença à se dessiner au fond de la clairière, qu'elle lui pardonnerait généreusement. Elle s'excuserait même de l'avoir provoqué et fait marcher. Et lui suggérerait d'oublier « l'incident », tout simplement.

Il était plus facile d'évoquer ce qui s'était passé à l'aide de ce terme vague qui en diminuait l'importance. Parce que, si elle se mettait à penser en termes spécifiques, alors là... Par exemple, si elle pensait à la sensation provoquée par le contact de ses lèvres brûlantes et voraces avec les siennes, ou à son cou et son torse bien charpentés et fermes sous ses mains, ou encore à son excitation qui se pressait avec force contre ses hanches, eh bien...

Elle gémit. Si seulement elle pouvait *cesser* de penser en termes spécifiques !

Quelque chose n'allait vraiment pas chez elle ! Elle aurait déjà dû oublier ce baiser.

— Comme tu as oublié celui qu'il t'a donné il y a douze ans ! bougonna-t-elle.

Décidément, elle était incurable.

Et lui, qu'était-il, exactement ? Hors de portée ? Interdit ?

Ouais. Et bien davantage encore !

Ne l'avait-elle donc pas suffisamment appris ? Les hommes comme Web Tyler ne prenaient pas les femmes comme elle au sérieux.

Les hommes ne la prenaient jamais au sérieux, point à la ligne. En tout cas, les deux ou trois avec qui elle avait eu des relations depuis son départ de New York.

Chaque fois elle avait cru qu'elle pourrait faire sa vie avec eux, jusqu'à ce qu'elle comprenne que le mot « partager » signifiait pour eux qu'elle renonce à ses rêves en faveur des leurs... Ils ne l'avaient pas traitée en égale, n'avaient même pas pris son travail au sérieux. Cela l'avait blessée au point qu'elle s'était immergée encore plus profondément dans son activité photographique, afin d'éviter toute complication sentimentale.

Comme celle qui se mijotait avec Web.

A propos de mijoter... Elle s'arrêta au milieu de la clairière et inspira profondément : une odeur de cuisine parvenait à ses narines.

Elle leva les yeux vers la fenêtre ouverte. A travers les rideaux que faisait frémir la brise d'automne, une lumière brillait au-dessus de l'évier.

De la *lumière* ?

Enfin une bonne nouvelle ! Si l'électricité était rétablie, la route serait sans doute bientôt dégagée. Il pourrait alors retourner à ses affaires et la laisser à ce qu'elle faisait le mieux, travailler. Seule. Sans personne pour la déranger. C'était bien ce qu'elle désirait, n'est-ce pas ?

Exactement ! se répondit-elle à elle-même, décidée à ignorer le sentiment de vide qui s'installait dans son cœur.

120

S'armant de courage en vue d'une confrontation qui s'annonçait orageuse, elle monta les marches et s'apprêta à ouvrir la porte.

Web regarda Tonya surgir à l'orée du bois.

Elle ressemblait un peu à une nymphe des forêts en bottes de combat, se dit-il.

Se surprenant à sourire, il se hâta de lâcher le rideau et de remballer cette bouffée d'attendrissement : ce genre de faiblesse ne pouvait rien apporter de bon, il ne fallait pas qu'il entre dans ce petit jeu. Ce baiser avait été une erreur, il le savait. Elle le savait aussi. Point final.

Tonya Griffin n'était accessible que sur le plan professionnel.

C'était ce qu'il s'était répété tout l'après-midi. Il avait besoin qu'elle signe le contrat, pas qu'elle cède à ses avances — même s'il ne doutait pas qu'il en tirerait une énorme satisfaction.

Aussi s'était-il efforcé de garder les mains et l'esprit occupés.

Dans l'ensemble, il avait réussi au-delà de toute espérance. Il était même rudement content de lui ! Pour lui qui n'avait guère commis que des maladresses depuis son arrivée, avoir enfin accompli quelque chose de constructif dans le territoire réservé de Tonya ne pouvait que le combler d'aise, même s'il ne s'agissait que de petites choses.

Il avait préparé toutes sortes de surprises pour Mlle Griffin. Pas pour lui faire plaisir, certainement pas ! Tout ce qu'il voulait, c'était la surprendre, restaurer son image d'homme compétent et fermement aux commandes.

En toute hâte, il s'essuya les mains au torchon et se laissa tomber sur une chaise avec l'un des livres qu'il avait trouvés sur l'étagère. Lorsque la porte s'ouvrit, il semblait plongé dans sa lecture, alors qu'en réalité il n'avait pas lu un seul mot.

— Eh bien, vous voilà de retour ! dit-il gaiement en levant les yeux de son bouquin.

Il était l'image même de la nonchalance et de la désinvolture.

Immobile dans l'embrasure de la porte, elle le considéra, l'air renfrogné. Son regard s'attarda un instant sur le livre, puis elle referma la porte derrière elle.

— Qu'est-ce qui se passe ? demanda-t-elle d'un ton soupçonneux en apercevant la table.

Il l'avait mise pour deux, avec une bougie et un bouquet de fleurs qu'il avait cueillies à la lisière de la forêt.

— Disons que je veux me faire pardonner ce qui s'est passé ce matin, répliqua-t-il en souriant. Et en hésitant un peu — juste ce qu'il fallait...

Il comprit à l'expression de son visage qu'elle ne savait pas si elle devait le croire ou non. Elle le croirait en découvrant les autres surprises qu'il avait préparées, si bien qu'il n'insista pas.

— Quand l'électricité est-elle revenue ?

— Oh, cela ? Pour autant que je sache, elle est toujours coupée.

Là-dessus, il feignit de se replonger dans sa lecture avant d'ajouter — d'un ton parfaitement détaché :

— j'ai trouvé un générateur dans le hangar et je l'ai fait marcher.

Depuis le début de l'après-midi, il savourait à l'avance l'instant où il laisserait tomber négligemment cette information, comme si elle n'avait aucune importance.

Comme s'il ne lui avait pas fallu pratiquement trois heures pour remettre ce bidule en état. Et comme s'il ne s'était pas déchiqueté les doigts au passage.

— Un *générateur* ? Il y a un générateur ?

Il savoura la surprise qui s'exprimait dans sa voix.

— Dans le hangar, derrière le tas de bois.

Elle demeurait immobile devant la porte, ce qui en disait long sur le malaise qu'elle éprouvait. Elle était désorientée par les compétences inattendues dont il faisait étalage et par l'idée qu'il savait quelque chose qu'elle ignorait.

— Vous saviez faire démarrer un générateur ?

Non. Mais à présent, il le savait. Et il espérait bien ne plus jamais avoir à accomplir une tâche aussi compliquée et ingrate.

— Eh bien... oui, pourquoi ?

Et il haussa les épaules, comme pour dire :

« J'ai un chromosome Y. Comment pourrais-je ne pas le savoir ? »

Fronçant les sourcils, elle se débarrassa de ses bottes et posa le sac à dos sur la table.

— Qu'alliez-vous faire dans le hangar ?

— Il n'y avait plus de réserve de bois dans la cabane. Je cherchais une hache. J'ai fendu quelques bûches sur ma lancée.

« En homme viril que je suis. »

Elle tourna vivement la tête et réprima un mouvement de surprise en découvrant le joli tas de bois bien rangé près du poêle.

Web fit tout son possible pour dissimuler le large sourire qui fleurissait sur ses lèvres.

— Oh, et puis j'ai sorti de la nourriture pour les ours. J'ai eu raison ?

A ces mots, son bras s'immobilisa tandis qu'elle sortait une bouteille d'eau de son sac.

— Vous avez nourri les ours ?

De nouveau, il haussa les épaules et feignit de se replonger dans son bouquin.

— J'ai pensé que vous seriez fatiguée, dit-il négligemment. Après avoir tant marché — et ramé, ajouta-t-il, levant enfin les yeux et lui adressant un sourire interrogateur.

Déconcertée par tant de sollicitude, elle le considéra d'un air indécis.

C'était exactement ce qu'il avait escompté. Pour la première fois depuis son arrivée, il avait le dessus. Et maintenant, le coup de grâce.

— Oh, j'ai aussi préparé le dîner. Il y avait du poisson qui commençait à décongeler dans le freezer, avant que je ne découvre le générateur. Du brochet, apparemment. J'espère que j'ai bien fait de le mettre au four.

— Au four, répéta-t-elle machinalement.

Voyant qu'elle demeurait bouche bée, Web poussa victorieusement son avantage :

— Avec du persil et du beurre de citron. Auxquels j'ai ajouté certaines de vos épices. Vous croyez que ça sera bon ?

Elle battit des paupières, ouvrit la bouche — sans doute voulait-elle manifester de l'approbation —, se ravisa, puis alla directement s'enfermer dans la salle de bains.

Il aurait bien fait un tour d'honneur autour de la cabane en chantant victoire, mais il craignit qu'elle ne sorte, affolée, pour voir ce qui se passait.

Oh, comme il était heureux d'avoir repris le contrôle de la situation ! Il adorait cela, même si le mot « contrôle » était à prendre dans un sens relatif.

Il était également ravi de l'avoir prise au dépourvu. Il avait joué la surprise, et jusque-là cela avait fonctionné à merveille. Il ne lui restait plus qu'à ajouter un petit numéro de charme — strictement professionnel — avant de remettre sa proposition de contrat sur le tapis tandis qu'ils savoureraient un poisson qu'elle n'avait pas eu à préparer...

Un poisson qui sentait incroyablement bon, s'il fallait en croire les informations que lui transmettait son odorat...

Oui, il avait repris le contrôle de la situation. Désormais, il ne risquait plus de s'aventurer en terrain miné. Plus de baisers. L'idée ne lui viendrait même plus à l'esprit ! Il ne penserait plus à ce corps doux et délicieux, ni à cette tresse de cheveux d'or pâle, ni à cette bouche qui semblait faite pour embrasser...

Inspirant profondément, il arrêta brusquement le cours de ses pensées. Jamais plus ! se répéta-t-il.

L'enjeu était trop grand pour ne pas mettre toutes les chances de son côté.

Lorsque Tonya émergea de la minuscule salle de bains, ses cheveux humides et dorés étaient libres de toute entrave, et son visage bronzé rayonnait. De plus, les parfums de fleurs et de fruits qui envahirent la pièce étaient si féminins, si essentiellement séduisants...

Web sentit vaciller son magnifique contrôle.

Au lieu de sa tenue de camouflage, elle avec revêtu un jean très usé — presque blanc — et extrêmement serré, qui faisait ressortir chacune de ses adorables courbes.

Son pull était rouge, avec un col roulé, et plutôt ajusté. Pas tout à fait autant que le jean, mais assez pour mettre en valeur cette merveilleuse poitrine qu'elle s'ingéniait d'ordinaire à cacher.

Il savait à présent ce qu'on ressentait lorsque ces seins épanouis se pressaient contre vous. Il connaissait leur douceur, leur plénitude, la forme des tétons durcis par le froid... et s'interrogea aussitôt sur leur contact, une fois durcis par le désir.

Oh ! Comme son contrôle vacillait !

Tout en elle paraissait doux et accessible — et indécis. Jusqu'à ses adorables pieds nus. Elle avait probablement lavé ses petits sous-vêtements roses... Sans doute les avait-elle remis à sécher sur la tringle de la douche ? Ce qui le conduisit tout naturellement à se demander ce qu'elle portait à présent.

Dentelle ou satin ? Bikini ou cache-sexe ? Rouge, comme son pull, ou rose comme ses lèvres ?

Ou noirs, comme l'humeur qu'il sentait monter en lui ?

Oh ! Comme il sentait s'écrouler son magnifique contrôle !

Le contrat ! pensa-t-il. C'était la seule chose qui comptait. Contrôle et maîtrise de soi ! Une grosse affaire à sauver. Une *très* grosse affaire.

— Vous vous sentez mieux ? s'enquit-il, soucieux d'afficher une courtoise réserve.

— Beaucoup mieux.

Elle prit une brosse dans le tiroir de la commode et entreprit de se la passer dans les cheveux.

Il observa, silencieux, le glissement de la brosse dans sa chevelure, le mouvement de ses seins contre le pull lorsqu'elle levait le bras, la courbe gracieuse de son dos — et de ses fesses — tandis qu'elle se penchait en avant, ses cheveux par-dessus sa tête, afin de se brosser à partir de la nuque... Il était fasciné.

Que lui arrivait-il ? Il avait pourtant connu de nombreuses femmes. Des femmes qui, à la différence de Tonya, s'efforçaient d'être élégantes, raffinées, à la page.

— Je crois que le poisson est à point, dit-il en s'enjoignant de garder son calme. J'ai aussi préparé une salade et mis quelques pommes de terre au four.

Elle se redressa, et ses magnifiques cheveux tombèrent en cascade dans son dos. Sans le quitter des yeux, elle se croisa les bras sur la poitrine. Pour la première fois depuis son retour à la cabane, elle ne cherchait pas à dissimuler ses réactions.

— Tout ça signifie quoi, au juste ? demanda-t-elle.

— Quoi, tout ça ?

D'un geste circulaire, elle désigna l'unique pièce de la cabane.

— Tout ça. La provision de bois, le générateur que vous avez remis en état, la nourriture pour les ours, le dîner. Ce ne sont pas vos activités habituelles, que je sache !

Elle avait raison. Le dîner excepté, ces activités lui étaient aussi étrangères que les sentiments qu'il éprouvait pour elle, et contre lesquels il ne cessait de lutter.

Il enfila un gant isolant taché et brûlé par endroits pour sortir le poisson et les pommes de terre du four. Puis, avec un profond soupir, il leva les yeux, la regarda en face et lui sourit.

— D'accord, toutes ces activités de survie ne sont pas ma tasse de thé, mais je dois corriger un point : je suis un fin cuisinier. Depuis que j'ai fait des recherches pour un magazine culinaire que nous possédions il y a quelques années, c'est devenu un hobby.

— Bon, je vous l'accorde, mais...

Il posa le poisson sur la table et l'invita à s'asseoir.

— Pourquoi vous préoccuper du reste ?

Elle ne répondit pas : il avait touché juste. Il haussa les épaules et s'assit à son tour.

— Je vais peut-être vous surprendre, mais je n'aime pas me sentir inutile. Cela me rend bizarre — comme lorsque je vous ai obligée à boire la tasse. J'ai fait tout ça pour soigner mon orgueil blessé et m'excuser pour ce matin.

— Hum, eh bien, commença-t-elle d'un ton hésitant en rapprochant sa chaise de la table, puisque vous êtes si charitable, je vais vous faire des excuses, moi aussi. Pour vous avoir tendu un piège. Ce n'était pas très gentil de ma part.

Elle jeta un coup d'œil à ses mains, qu'elle gardait crispées sur ses genoux, et réprima un haussement d'épaules.

— Moi aussi, dit-il, j'avais l'orgueil un peu meurtri.

Maintenant, c'était le moment de sourire avec magnanimité, d'afficher une physionomie conciliante et de changer de sujet. Par exemple, de parler du contrat. Mais son cœur s'était mis à battre la chamade dès l'instant où elle s'était assise à portée de bras. Ses mains l'avaient aussitôt démangé de se plonger dans ses cheveux si soyeux... Et bientôt, il s'entendit demander la dernière chose qu'il aurait dû demander.

— Dois-je m'excuser aussi de vous avoir embrassée ?

Tonya leva vivement la tête, visiblement aussi tendue et, sauf erreur, aussi excitée que lui à l'évocation de cet instant.

Elle avala difficilement sa salive et baissa les yeux vers son assiette.

— Ce poisson m'a l'air délicieux.

128

Il regarda un instant par-dessus sa tête. Elle avait raison, il ne fallait plus penser à ce baiser.

Ce qui ne l'empêcha pas de ressentir un vide profond en lui souhaitant « bon appétit ».

Le lendemain matin, Tonya se leva aux premières lueurs de l'aube, comme à l'accoutumée. Elle s'occupa de la nourriture des ours, puis alla développer des pellicules dans la chambre obscure de fortune qu'elle avait aménagée dans le garage de Charlie, ce qui lui laissa le temps de penser à ce qui s'était passé la veille.

Web s'était comporté en parfait gentleman. Il avait même fait la vaisselle du dîner, ce qui l'avait vraiment stupéfaite. Il s'était également avéré chaleureux et drôle. Il s'était même montré beau joueur lorsqu'elle l'avait encore une fois battu au gin.

Pour couronner le tout, il ne lui avait pas conté fleurette. Pas une seule fois. Puis il lui avait souhaité une bonne nuit, s'était glissé dans son sac de couchage, et elle ne l'avait plus entendu.

Ce qui était une bonne chose, se dit-elle, renfrognée, en se demandant pourquoi elle se sentait de si mauvaise humeur.

Avec un profond soupir, elle étala sur la table de la cuisine les épreuves qu'elle venait de développer — dans l'espoir qu'elles distrairaient son esprit des souvenirs indésirables qui l'assaillaient. Comme ce qu'elle avait ressenti lorsque Web l'avait embrassée. Ou comme la voix rauque avec laquelle il lui avait proposé de continuer dans la cabane ce qu'ils avaient commencé.

« Dois-je m'excuser aussi de vous avoir embrassée ? »

Cette question l'avait hantée toute la nuit. Ainsi que la lâcheté avec laquelle elle avait évité d'y répondre.

— Oublie cela ! marmotta-t-elle en se focalisant de nouveau sur les photographies.

Il y avait les clichés de Damien qu'elle avait pris l'autre jour. Le jour de l'arrivée de Web...

— Je crois que nous devrions rationner notre consommation d'électricité, dit ce dernier en sortant de la salle de bains. Hier, nous avons vidé à peu près le tiers du réservoir du générateur.

Il s'essuya les mains à l'aide d'un torchon avant d'ajouter :

— Et qui sait combien de temps nous en aurons besoin.

Il s'avança derrière elle. Elle sentit son parfum avant sa chaleur : savon, crème à raser, et cette merveilleuse senteur qu'il avait rapportée de la forêt.

— Stupéfiant, murmura-t-il.

Elle tourna la tête. Il contemplait les photographies qu'elle avait prises.

— Je suis bien d'accord. Il est merveilleux, n'est-ce pas ?

— Je voulais parler des photos. Vous êtes... Ce que vous avez réussi à capter est... incroyable.

— C'est l'ours que je photographiais le jour de votre arrivée, Damien. Il me force à donner le meilleur de moi-même. Même Charlie admet que c'est un individu tout à fait à part.

Elle se dirigea vers le poêle pour remplir sa tasse d'eau chaude. N'importe quoi pour s'éloigner de Web... Elle réagissait trop intensément lorsqu'il se trouvait si près d'elle.

130

Il n'avait pas l'air d'avoir le moindre problème avec ce qui s'était produit la veille. Il semblait même l'avoir totalement oublié.

Elle devrait absolument suivre son exemple. Il suffirait que sa libido et son cœur obéissent à la décision de sa tête.

A cette pensée, elle se figea.

Son cœur ? Son cœur n'avait rien à voir avec tout ceci ! Peut-être n'avait-elle pas tout à fait oublié le petit béguin qu'elle avait éprouvé, tant d'années auparavant, mais c'était seulement...

Et pourtant... Lorsqu'une femme tombait amoureuse d'un homme à dix-neuf ans et pensait toujours à lui douze ans plus tard, qu'est-ce que cela signifiait ? Et lorsque son cœur s'affolait encore au son de sa voix, au contact de sa main, au moindre de ses sourires ?

Cela ne signifiait certainement pas qu'elle l'aimait ! se dit-elle avec conviction, pour combattre la panique qui l'envahissait. Cela ne pouvait pas signifier l'amour ! Non, c'était impossible. Elle n'allait pas se laisser faire !

Elle jeta un coup d'œil vers lui tandis qu'il examinait les photographies, se sentit fondre en observant son profil viril et détourna vivement le regard.

Les paroles qu'il prononça alors lui donnèrent l'occasion de revenir sur terre :

— Ces photos sont vraiment stupéfiantes, Tonya. Oubliez le salaire que je vous ai proposé. Je le double si vous signez ce contrat.

8.

Après une proposition aussi fabuleuse, Tonya éprouva beaucoup moins de difficultés à garder ses distances, aussi bien émotionnellement que physiquement. Les deux jours suivants, en tout cas, elle y parvint parfaitement.

Visiblement, Web ne cherchait pas à nouer une idylle avec elle. Il ne songeait qu'à lui faire signer son contrat.

Après tout, c'était la raison de sa présence dans le Minnesota. Quant à ce baiser… Eh bien, il s'était produit dans l'excitation du moment. Ce n'était qu'une erreur. Une anomalie.

La sécurité financière qu'il lui proposait était des plus tentantes, pensait-t-elle tandis qu'ils patientaient tous deux dans une cachette de rochers et de branches de pins à proximité de l'endroit où elle avait vu Damien la dernière fois. Oui, le salaire était pharamineux.

Mais la perspective de se rapprocher de lui l'était encore davantage… Et c'était justement pour cette raison qu'elle campait sur ses positions.

— Vous n'êtes pas obligé de rester assis, vous savez, lui chuchota-t-elle, voyant qu'il ne tenait pas en place. Moi, j'ai l'habitude. Pas vous.

— Essayerait-on de se débarrasser de moi, Griffin ?

Cela faisait une bonne heure qu'elle essayait de se débarrasser de lui... Mais cette tête de mule était aussi collante que le chewing-gum que Jason Kimble lui avait fourré dans les cheveux quand elle était en sixième.

Cette cohabitation très rapprochée commençait à produire d'inquiétants effets sur elle. Elle ne pouvait pas bouger le petit doigt sans rencontrer le genou de Web, ni se pencher sans effleurer son épaule, ou tourner la tête sans entrer en contact avec son nez...

Au moins, elle n'avait pas à respirer les effluves de son après-rasage de luxe, dont le parfum était si sensuel. Elle lui avait clairement fait comprendre que, s'il tenait à l'accompagner en séance de prise de vues, il ne devait en aucune façon se parfumer.

— Cela excite les ours, lui avait-elle expliqué.

Même si, à vrai dire, l'effet était encore bien plus fort sur elle...

— Je n'arrive pas à comprendre, murmura-t-il, s'adressant davantage à lui-même qu'à elle.

Les rayons du soleil, filtrant entre les pins, parsemaient son visage de lumières vacillantes. Sentant son cœur se serrer, elle inspira profondément pour se ressaisir.

— Vous n'arrivez pas à comprendre quoi ?

— Comment on peut habiter ici. Charlie vit ici depuis quarante ans, c'est bien cela ?

— Plutôt soixante.

— Comment fait-il pour supporter la solitude ? Le silence ? Je veux dire... c'est vrai, après avoir passé quelques jours ici, je reconnais que cet endroit a du charme. C'est très beau, l'air est pur, mais...

Il s'interrompit, secoua la tête.

— ... c'est tellement isolé. Comment peut-il ne pas s'ennuyer ?

— Vous devriez le rencontrer, vous comprendriez mieux. Il rayonne de confiance, il est toujours content de son sort. Et puis, il y a ses voisins. Et sa famille. Ils se rendent visite entre eux.

— Mais lui, il est retenu par ses ours.

— Cela ne lui pèse pas. Il les adore. Il les considère comme faisant partie de sa famille, et il aime leur compagnie. Pas pour jouer avec eux. Ils ne demandent que l'indispensable.

— De la nourriture.

— Et un abri contre les chasseurs.

Sans répondre, Web considéra le soleil couchant.

— Damien ne se montrera plus maintenant, dit-il enfin. Nous devrions regagner la cabane.

Elle se mit à rassembler son équipement. Soudain, elle se rendit compte qu'il lui tendait la main pour l'aider à se relever.

Si elle ignorait son aide, cela ne paraîtrait pas naturel…

— Merci.

Elle se leva avec vivacité, mais la sensation de la large main chaude de Web s'attarda le long de ses doigts. Il se pencha pour prendre le lourd sac à dos qu'elle venait de fermer.

— Je peux le porter, dit-elle.

— Un contrat est un contrat, répliqua-t-il avec un large sourire. Et je vous battrai au gin un de ces soirs, avant mon départ ! ajouta-t-il en endossant le sac.

— Ouais… Eh bien, vous feriez mieux de vous dépêcher, répliqua-t-elle en se mettant en route. A mon avis, ils auront dégagé la route dans un jour ou deux.

« Et ce ne sera pas trop tôt », pensa-t-elle tandis qu'ils se frayaient un chemin dans la forêt. Web Tyler lui rappelait

134

trop ce qui lui manquait. Il était trop viril pour laisser indifférente une femme pleine de santé. Elle ne résisterait pas longtemps s'il entreprenait de la séduire.

Ce qu'il n'hésiterait pas à faire, s'il pensait pouvoir ainsi lui faire signer plus facilement son maudit contrat !

Assis sur la dernière marche de la véranda, une tasse de café à la main, Web contemplait le coucher du soleil.

En une quinzaine de minutes, le ciel était passé d'une brillante couleur abricot rouge et dorée au gris perlé, en passant par un lumineux bleu de lavande.

Lorsque la porte s'ouvrit derrière lui, la nuit s'installait déjà, sans façon. Un simple et lent glissement vers l'obscurité.

Les premières lueurs de l'étoile Polaire apparurent, juste au-dessus de la cime des arbres. La lune à son premier croissant surgissait par intermittence entre les nuages gris, effilés et fantomatiques, baignant la nuit naissante d'une lumière diffuse et irréelle…

— Ça faisait si longtemps que je voyais le soleil se coucher entre les gratte-ciel que j'avais oublié qu'il se couchait aussi à la campagne, dit-il, conscient que Tonya se tenait derrière lui. Je ne savais plus que cela pouvait être aussi beau !

— C'est l'un des plus gros avantages de ma profession.

— Je sais reconnaître le chant des grillons, mais je ne reconnais pas celui-ci.

La jeune femme tendit l'oreille quelques instants.

— C'est le chant de la nuit, dit-elle doucement. Tout simplement.

— Le chant de la nuit… Ça me plaît !

Il se leva et posa sa tasse sur la rambarde de la véranda. Elle se tenait debout tout près de lui... Elle avait l'air si jeune... et si belle. La réserve toute professionnelle qu'il s'était imposée lui avait beaucoup coûté, mais elle avait eu tout autant de mal, et pour la même raison, il ne l'ignorait pas. En fait, chacun savait qu'ils s'efforçaient tous deux à grand-peine de garder quelque distance...

Il la vit frissonner et sut aussitôt que la fraîcheur du soir n'était pas seule en cause.

Le désir avait une vie propre. Des signes propres, évidents. Et ils avaient été très nombreux ces derniers jours : des yeux qui se détournent pour masquer leur embarras, un tressaillement instinctif pour éviter un contact, un rire un peu trop précipité, un peu forcé, pour éviter l'émotion qui n'était jamais loin...

Oui, cela faisait trop longtemps qu'ils jouaient tous deux à ce petit jeu d'esquive.

Web était fatigué de combattre ses instincts les plus fondamentaux. De tenter de les ignorer. De tourner autour de ce qu'il désirait le plus au monde.

Ce soir, il voulait se livrer à une tout autre sorte de danse...

Instinctivement, il lui prit la main et, ignorant son regard surpris, lui fit descendre les marches du perron.

— Puisque la nuit nous joue une musique aussi merveilleuse, dit-il, ce serait un crime de ne pas en profiter.

Après la dernière marche, il la fit se retourner vers lui, l'obligeant à lui faire face.

— Dansez avec moi !

Il vit dans ses yeux qu'elle voulait lui dire non, mais il sentit aussi toute son aspiration inverse. Et c'est cette dernière réponse qu'il choisit d'écouter.

Avant qu'elle ait pu se décider, il la prit dans ses bras et lui fit suivre le rythme lent et chaloupé qu'il entendait dans son esprit. Elle aussi devait l'entendre, car elle l'accompagna comme s'ils pratiquaient cette danse ensemble depuis des années.

Quelques instants passèrent, durant lesquels chacun s'accoutuma au contact de l'autre, à son parfum, au courant qui les attirait constamment l'un vers l'autre.

— Que sommes-nous en train de faire ? demanda-t-elle enfin, d'une voix hésitante.

— Nous dansons, mon chou. Tout simplement. N'allons pas chercher plus loin. Pour l'instant.

La nuit se refermait sur eux, les enveloppant comme une couverture. Il la serra encore davantage. Puis, doucement, il lui prit les mains et les déposa sur sa nuque.

— Comment se fait-il, murmura-t-il, que toute ma vie j'aie contrôlé mes actions, et qu'après trois jours passés ici, je m'abandonne à mes impulsions ?

Il lui enserra la taille et la serra très fort contre lui, les doigts largement écartés sur ses hanches.

— Peut-être à cause de l'air pur ? suggéra-t-elle d'une voix fluette.

Il eut un petit rire et posa la joue sur ses cheveux soyeux.

— C'est une possibilité.

Une très mince possibilité.

Tout ceci était si étrange… Depuis qu'il avait retrouvé Tonya, il se sentait vivant et spontané. Certes, il n'était pas en train de remuer ciel et terre dans la Sixième Avenue, où l'argent et le pouvoir avaient toujours constitué à la fois sa motivation et sa récompense… Et pourtant, plus que jamais, il sentait s'épanouir une part essentielle de son être. Et il doutait que l'air pur y fût pour grand-chose.

— Je me demande si ce n'est pas à cause d'autre chose...

— Oh ?

La personnalité de Tonya était tellement plus riche qu'il ne s'y attendait... Elle était intelligente et drôle. Et aussi belle moralement que physiquement, même si elle s'efforçait constamment de le cacher.

Il avait fait tout son possible pour ne voir en elle qu'un lutin têtu en treillis vert olive, mais à présent il ne pouvait nier l'évidence : ce n'était pas une simple attirance qu'il éprouvait pour cette femme joueuse et d'une spontanéité touchante.

Il l'aimait. Beaucoup.

Elle était belle, séduisante, et loin de s'en douter. Elle était aussi douce et sincère, sans parler de son incroyable talent de photographe. Ses clichés étaient fascinants, ils donnaient à réfléchir et dévoilaient encore davantage les beautés de son âme.

Tout ceci ne constituait qu'un aperçu des qualités qu'il découvrait en elle, mais il ne pouvait pas trop réfléchir en ce moment : il admirait sa peau claire qui reflétait le clair de lune.

Il lui prit le menton, tourna son visage vers le sien. Et capitula.

— Vous savez que je vais vous embrasser, pas vrai ? Vous savez que j'ai besoin de vous embrasser.

Lorsqu'elle plongea les yeux dans les siens, il sentit battre son cœur à coups redoublés.

Le désir. Il se reflétait dans ses yeux, brûlant comme un feu de joie. C'en était fait de lui.

Un raz-de-marée de désir le submergea à son tour, balayant, pulvérisant tout le bon sens qu'il avait pu conserver.

— Si vous n'êtes pas d'accord, dites-moi d'arrêter, chuchota-t-il, ses lèvres brûlantes sur les siennes. Dites-le-moi tout de suite.

— Arrêtez ! murmura-t-elle, obéissante, nouant les bras autour de son cou et lui enserrant la cuisse de sa jambe.

Il enfouit la main dans ses cheveux, se délectant de leur contact soyeux. Il dénoua doucement sa natte, jusqu'à la faire glisser entre ses doigts comme l'eau d'une source vive…

Elle gémit, se serrant très fort contre lui, quand elle sentit ses mains descendre le long de son dos, jusqu'aux cuisses. Il la souleva jusqu'à ce que ses jambes lui entourent la taille.

— Vous voulez vraiment que j'arrête ? susurra-t-il en lui couvrant la gorge de baisers avides, avant de s'emparer de nouveau de sa bouche.

— Non, soupira-t-elle.

Ils remontèrent les marches de la véranda sans cesser de s'embrasser et de se caresser, impatients de se rapprocher encore l'un de l'autre. Il referma la porte d'entrée d'un coup de pied et la conduisit vers le lit.

— Vous êtes bien sûre ?

— Ce dont je suis sûre, c'est que je ne veux plus vous entendre parler !

Là-dessus, elle émit un petit gémissement avide et rauque contre son cou, puis, les mains nouées dans ses cheveux, attira sa bouche contre la sienne.

Elle n'eut pas besoin d'insister. Tous deux se mirent à parler exclusivement avec leurs mains. Et leurs corps. Et leurs bouches si avides…

Lorsqu'il sentit ses genoux toucher le lit, il bascula sur elle, s'appuyant sur les avant-bras pour ne pas l'écraser sous son poids. L'antique matelas se creusa, et les ressorts gémirent tandis qu'il la pressait de tout son corps contre la couette.

— C'est de la folie, murmura-t-il, le visage enfoui dans le creux de son épaule.

— Je t'avais interdit de parler. Il y a des choses meilleures à faire avec la bouche ! protesta-t-elle, le tutoyant pour la première fois, tandis qu'elle tirait frénétiquement sur ses pans de chemise.

Lorsque celle-ci fut sortie de son pantalon, il roula sur le dos, attirant Tonya sur lui, et l'aida à la déboutonner, pour s'en débarrasser prestement dès que cette opération fut achevée.

— C'est ton tour, maintenant !

Sans cesser de le chevaucher — et sans hésiter une seconde — elle se saisit du bas de son pull et le fit passer par-dessus la tête, tandis qu'il la dévorait des yeux et qu'un feu dévorant s'emparait de lui.

Depuis qu'il avait vu ses sous-vêtements sécher dans la salle de bains, il se demandait tous les jours quelles couleurs elle portait contre sa peau. Cette fois, il savait.

Ce soir, elle ne portait pas de rose ni de blanc. Son soutien-gorge était noir, une dentelle extra-fine... Ses tétons fermes et bien dessinés se pressaient contre le tissu transparent — à environ un centimètre de sa bouche.

— Adorable Tonya, murmura-t-il.

Incapable de se contenir une seconde de plus, il franchit cette minuscule distance et happa téton et dentelle dans sa bouche.

Elle gémit et s'abandonna contre lui, lui offrant ses seins sans la moindre retenue.

Elle ne put retenir un petit cri lorsqu'il recula lentement la tête, tirant sur son téton, et ne le relâcha qu'après y avoir goûté tout son soûl. Puis, effleurant son autre sein du bout du nez, il l'encouragea à le lui offrir à son tour.

Elle n'hésita pas. Se haussant légèrement sur les genoux, elle le pressa contre lui, ce qui lui permit d'en emplir sa bouche au maximum. Elle adorait cela, il le sentait. Et la réciproque était vraie. Tant d'ardeur, tant de douceur sous un brin de dentelle… Tant de féminité…

Il la mordilla doucement, puis, tandis qu'elle gémissait, dégrafa le soutien-gorge, le prit à pleines dents et l'écarta. Il ne voulait plus rien sentir entre sa langue et les seins nus, il lui fallait le contact direct de la chair douce et généreuse qui s'offrait à lui.

Les cheveux de Tonya lui tombèrent sur le visage et se tissèrent entre ses doigts comme autant de fils d'or. Sous ses mains, elle avait la peau aussi douce que du velours… En même temps, elle s'agrippait à ses épaules avec une avidité presque désespérée, et Web trouvait ce contraste des plus érotiques.

S'embrasant encore davantage, il la fit rouler sur le dos et, enjambant ses hanches, s'agenouilla au-dessus d'elle. Il s'arrêta un instant pour admirer ses seins généreux, ainsi que ses cheveux pâles répandus sur l'édredon en calicot. Elle lui parut la plus belle des femmes…

Tonya profita de ce court répit pour se saisir de la boucle de sa ceinture.

Pourquoi devenait-il fou de désir ?

Il ne connaissait pas la réponse, et cela lui était bien égal tandis qu'elle parvenait à défaire le bouton-pression puis faisait lentement descendre la fermeture Eclair, juste assez pour passer la main à l'intérieur et le caresser doucement.

Il gémit, puis lui saisit le poignet.

— Tu ne peux pas savoir à quel point cela me coûte de t'arrêter, chuchota-t-il, mais il faut que j'aille chercher quelque chose.

Il n'avait jamais été boy-scout, mais mettait un point d'honneur à être toujours prêt : il ne mit pas longtemps à trouver une protection dans ses affaires.

Lorsqu'il revint, Tonya s'apprêtait à descendre sa propre fermeture Eclair.

— Oh, non ! s'écria-t-il en s'agenouillant de nouveau sur le matelas, tout près de ses hanches. C'est à moi de le faire !

Elle hésita, puis un petit sourire se dessina sur ses lèvres, elle replia les bras sur l'oreiller de chaque côté de sa tête, les paumes retournées… et souleva légèrement les hanches.

Il contempla à loisir ce délicieux tableau tout en se débarrassant lentement de son pantalon et de ses sous-vêtements. Très lentement.

Ensuite seulement, il s'occupa du jean de la jeune femme.

Ses baisers étaient comme le vin, songea Tonya, éblouie par l'homme qui se penchait sur elle. Habituée à boire de l'eau, quelques gorgées suffisaient pour lui faire perdre la tête. La tentation était irrésistible.

Elle l'avait déjà éprouvée douze ans plus tôt. Et aussi lorsqu'il l'avait embrassée sur la rive du lac. Et lors de son retour à la cabane, lorsqu'elle l'avait vu assis à la table… Elle avait pourtant passé toute sa vie à se dire que l'eau lui suffisait !

Même cet après-midi, elle avait su qu'elle se mentait à elle-même.

142

Et à présent, tandis que les mains puissantes de Web faisaient doucement descendre la fermeture de son jean, couvrant de baisers pressants et doux chaque centimètre carré de peau mise à nu, elle n'avait plus la moindre envie de se mentir.

Elle désirait tout ce qu'il pouvait lui offrir, sans restriction : tous les rêves qu'elle avait tissés autour de lui au fil des ans, toutes les sensations que nourrissaient ses caresses, toutes les satisfactions qu'exigeait le besoin impérieux qu'elle éprouvait pour lui...

Elle voulait boire tout le vin qu'il lui offrirait.

Cela faisait si longtemps qu'elle n'avait rien ressenti de semblable... Elle avait bien le droit — juste cette fois — de réaliser un fantasme !

Tous deux ne faisaient qu'assouvir un besoin mutuel, elle en était pleinement consciente. Juste pour un soir, cela leur suffirait.

Avec un soupir, elle leva les hanches, le long desquelles il fit doucement glisser son jean, avant de le descendre jusqu'aux pieds avec la même délicatesse. Puis elle sentit qu'il posait ses lèvres contre le brin de dentelle noire qui la couvrait — si peu —, et elle ouvrit les jambes avec confiance et abandon.

Avec n'importe quel autre homme, elle aurait refusé, mais celui-ci, elle le connaissait. Elle avait fait sa connaissance au fil d'innombrables rêves, de fantasmes sans fin. Elle savait qu'il lui ouvrirait tous ces royaumes qu'elle désirait découvrir.

Il eut un gémissement rauque, de toute évidence il aimait sentir sa chaleur humide sous sa bouche. D'un geste impatient, il se débarrassa du dernier obstacle de dentelle noire...

Au premier contact de sa langue, elle eut déjà l'impression d'atteindre l'apogée, et se sentit gênée de la vitesse avec laquelle elle était arrivée si haut.

— Web !

Haletante, elle tenta de le repousser.

Il n'en tint aucun compte. Bien au contraire, il glissa les mains sous ses fesses et la leva fermement contre ses lèvres et sa langue avides.

C'était si bon ! Elle s'abandonna aux somptueuses sensations que lui procurait leur activité conjuguée...

Sans se préoccuper de ses propres besoins, il la mena à un orgasme si parfait et si puissant qu'elle ne put étouffer un long cri.

Son cœur battait toujours la chamade lorsqu'elle sentit qu'il lui couvrait le corps de baisers... Il s'attarda tendrement sur ses seins avant de rejoindre ses lèvres.

Il avait le goût du vin capiteux dont il venait de l'abreuver, tandis qu'il l'embrassait profondément, délicieusement, et qu'elle imprégnait sa peau de ses muscles si forts, si bien dessinés, si lisses...

Puis, d'une longue et douce poussée, il l'emplit. Soupirant de surprise, elle l'accueillit en elle avec ivresse. Et tandis que le vieux sommier accompagnait leurs gémissements du chant de ses ressorts, il exécuta un mouvement régulier de va-et-vient qui la porta encore plus haut que la première fois.

Chuchotant son nom, elle se cramponnait à lui, haletait avec lui... Puis elle se mit à l'implorer :

— Je t'en prie, je t'en prie, je t'en prie !

De nouveau elle s'envola très haut — cette fois avec lui.

Il imprima en elle une ultime poussée, enfonça sa tête dans ses cheveux et gémit son nom comme si elle était le seul être au monde qui comptait pour lui.

Web pressa tendrement la main contre sa hanche nue.

— Tu souris, dit-il doucement.

Tonya tourna la tête vers lui, presque sans déplacer ses cheveux étalés sur l'oreiller. La cabane baignait dans l'obscurité. Seul le poêle éclairait ses traits virils d'une lumière rougeoyante.

— Y a-t-il quelque chose que tu voudrais partager avec moi ? suggéra-t-il, voyant s'élargir son sourire.

Elle ne pouvait pas imaginer qu'ils eussent encore quelque chose à partager. Après cette incroyable première fois, ils avaient recommencé à faire l'amour, puis s'étaient levés pour se préparer une dînette, avant de se jeter de nouveau l'un sur l'autre et de s'effondrer encore une fois sur ce lit aussi accueillant que grinçant.

Elle aurait dû se sentir épuisée, et embarrassée par certaines des choses qu'ils avaient faites ensemble, mais il n'en était rien. Au contraire, elle se sentait plus exaltée que jamais.

C'était la raison pour laquelle elle souriait.

Il avait le coude replié sur l'oreiller, la tête reposant sur sa main. Quant à son autre main… Oh ! Elle était très occupée à la caresser, à la cajoler, à lui faire éprouver par tout le corps les plus merveilleuses sensations.

— Tu ne veux pas me le dire ?

— Pourquoi je souris ?

Il acquiesça d'un hochement de tête.

— Oh ! Je pensais seulement à ton utilité.

Comme il fronçait les sourcils, elle éclata de rire.

— Un jour, tu m'as confié que tu n'aimais pas te sentir inutile. Je pensais que tu étais assez « utile », finalement.

Il la pinça, et elle poussa un cri aigu.

— O.K. ! Plus qu'utile !

Il se laissa tomber sur le dos, les mains au-dessus de la tête.

— J'ai rarement entendu compliment aussi dithyrambique.

Elle se tourna vers lui et lui caressa le visage.

— Superbement utile. Excellemment utile. Excessivement utile. Prodigieusement utile...

— C'est parce que je suis un homme, répliqua-t-il modestement. Ce que nous venons de faire illustre l'une des raisons pour lesquelles les filles ont besoin des garçons. Mais il y en a d'autres...

C'était vrai, il y en avait d'autres. Pour l'instant, toutefois, elle se contentait de celle-ci, et ne put s'empêcher de le lui dire :

— Cette raison me suffit !

Web se mit à rire.

— Je l'avais deviné en t'entendant crier !

Elle se sentit rougir jusqu'aux yeux.

— Hé ! protesta-t-il en la prenant par le menton. C'était merveilleux. Tu étais merveilleuse. Tu *es* merveilleuse !

Il l'amena doucement à nicher la tête au creux de son épaule, puis enfouit son menton sans ses cheveux. C'était l'un des moments de perfection qu'offrait la vie, se dit-elle, et elle en jouit pleinement, tandis qu'il lui passait la main dans le dos.

146

Elle sursauta en entendant de nouveau le son de sa voix.

— As-tu jamais repensé à ce baiser ? Après la fête de Noël ?

Elle ouvrit les yeux et avala difficilement sa salive.

Elle y pensait depuis l'instant où ils s'étaient précipités sur le lit, et ne voulait penser à rien d'autre. Pas ce soir, en tout cas. Demain, il serait bien temps de regarder la réalité en face.

En fait, il s'agissait d'une aventure sans lendemain : ils ne pourraient pas rester ensemble. Lui vivait à New York, et elle, partout où la menaient les besoins de son job : partout sauf à New York.

— Moi, j'y ai pensé, dit-il, interrompant ses sombres pensées.

Sa voix s'était faite rauque et douce à la fois, et elle sentit contre son visage son cœur battre plus fort, sourdement mais régulièrement.

— Je ne m'en souviens que trop bien, poursuivit-il. Il faisait un froid de canard, les fenêtres étaient parsemées de traînées de givre aussi étincelantes que tes yeux. Tu as de si jolis yeux, Tonya.

— Vraiment ?

Elle se considérait toujours comme une « fille à lunettes », alors qu'elle s'en passait depuis cinq ans grâce à une opération laser.

Il l'embrassa sur la tempe.

— Au fil des ans, poursuivit-il, je n'ai jamais oublié la manière dont tu me regardais ce soir-là. Ni la douceur de ton corps dans mes bras. Ni l'impression que tu signifiais quelque chose de particulier pour moi... Ça fait douze ans que je voulais revivre cela.

147

— Ce qui ne t'a pas empêché de ne pas me reconnaître lorsque tu es arrivé, fit-elle perfidement remarquer.

Il eut un petit rire et lui caressa le cou de ses lèvres.

— Heu… tu m'accorderas que tu avais changé. Et pas qu'un peu. De plus, j'étais en mission : j'étais focalisé là-dessus.

Elle se figea. Une terrible pensée venait de lui traverser l'esprit.

— Si c'est à cause du contrat que tu…

— Hé-là ! Pas un mot de plus !

Il s'appuya de nouveau sur le coude et la fixa droit dans les yeux.

— Au début, dit-il, je ne pensais qu'à ce contrat, je le reconnais. Distribuer de la nourriture aux ours, couper du bois, préparer le dîner… tout ça, c'était à cause du contrat. Et à présent, est-ce que je veux toujours te le faire signer ? Oui, plus que jamais !

Il l'embrassa longuement, avec autant de détermination que de lenteur.

— Mais *ça*, poursuivit-il enfin, c'est à cause de toi et moi. A cause d'une relation intime que nous avons amorcée autrefois, avant de la laisser en plan pendant tout ce temps…

Etourdie par son baiser, elle le regardait, ébahie, battant des paupières.

— Oh, c'est vrai ? Pendant tout ce temps tu as pensé à moi ?

Web sourit, heureux de lui avoir si aisément fait oublier le contrat, et charmé par le doute qui l'animait. Sa candeur exerçait sur lui un sacré pouvoir de séduction. Elle ne savait pas à quel point elle était désirable.

— Oui. Je m'étais même promis que, si je te rencontrais de nouveau, je t'embrasserais, uniquement pour avoir la preuve qu'aucun baiser ne pouvait être aussi merveilleux que celui que nous avions échangé dans ce taxi.

Il vit son pouls s'affoler au creux de sa gorge.

— Et... tu l'as eue, cette preuve ?

Soudain, il sentit sa propre gorge se serrer. Lorsqu'il parvint tout de même à parler, sa voix n'était plus qu'un chuchotement rauque :

— Le deuxième baiser a été encore meilleur, Tonya.

Il lut dans ses merveilleux yeux bleus la passion et l'envie irréductibles qu'il éprouvait lui-même.

— Web...

Il posa deux doigts sur ses lèvres.

Des lèvres aussi douces que la rosée, aussi douces que le regard innocent qu'elle portait sur lui, ou que ses doigts posés sur son poignet.

Il lui prit le visage entre les mains et soutint son regard.

— Et c'est loin d'être le dernier ! Tu le sais bien, pas vrai ?

Elle approuva de la tête, avant de s'abandonner de nouveau à lui.

9.

Lorsque Web s'éveilla, le jour était déjà levé. Depuis quand ? Il n'en avait aucune idée. Quant à la nuit précédente, elle se résumait pour lui en un délicieux méli-mélo de peau soyeuse, de soupirs de reddition et d'ardeurs généreuses.

Il roula sur le dos et passa la main sur sa joue mal rasée. Pourvu qu'il n'ait pas éraflé la peau tendre de Tonya avec sa barbe naissante !

Le lit était encore imprégné du parfum de la jeune femme.

Il se retrouvait rarement dans le lit d'une femme après une nuit d'amour. Il avait toujours veillé à ce que cela ne se produise pas, évitant soigneusement d'être invité, le lendemain, à faire plus ample connaissance autour d'un bol de café.

En l'occurrence, il n'avait guère le choix. Pourtant, il se surprit à entretenir l'idée que, s'il avait eu le choix, il aurait voulu rester.

Ecartant cette pensée troublante, il s'assit sur le lit, humant la bonne odeur de café.

Que les dieux la bénissent !

Il s'étira, remarqua son caleçon qui traînait par terre et l'enfila. Tonya n'était pas dans la cabane. Songeur, il se versa une tasse de l'odorant breuvage.

Tonya craignait-elle, elle aussi, les lendemains de nuits d'amour ? se demanda-t-il en fixant d'un air sombre la porte de la cabane. Si tel était le cas, c'était certainement à cause de son manque d'expérience en la matière, et non parce qu'elle préférait les éviter !

Malgré son manque d'inhibitions et sa participation sans complexe, sa délicieuse partenaire n'était visiblement pas si expérimentée que cela dans le domaine sexuel. Sinon, elle n'aurait pas eu des réactions si pures, si spontanées, à ce point émerveillées…

Il finit d'avaler sa première dose de caféine de la journée et entra dans la salle de bains.

D'un côté, songea-t-il, il était bigrement heureux de l'avoir initiée à certains des plaisirs qu'ils avaient partagés cette nuit. D'un autre côté, il craignait de ressembler à un opportuniste blasé.

Il ne s'était pas trompé sur elle, douze ans auparavant : avec elle, c'était pour la vie. Avec lui, c'était une autre histoire… Grands Dieux, qu'avait-il fait ?

— Et pourquoi n'y as-tu pas pensé hier soir, au lieu de céder à ta libido ? marmonna-t-il tout haut.

Avec ou sans contrat, il poursuivrait son chemin, et elle le sien, songea-t-il, l'air renfrogné en ouvrant le robinet de douche.

Il espérait seulement ne pas la blesser. Il ne manquerait plus que cela ! De toute façon, il n'y pouvait plus rien : la seule idée de se lier à une femme le rendait nerveux.

Il ne serait pas à la hauteur, aucun homme de sa famille ne l'avait jamais été. Il n'était pas inscrit dans les gènes des Tyler de rester fidèle. La preuve : il n'avait jamais considéré sérieusement de partager sa vie avec une seule des femmes qu'il avait connues...

Il entendit claquer la porte de la cabane.

Essuyant la buée du miroir, il contempla son reflet avec mépris.

— Il fallait absolument que tu la séduises, pas vrai ? se sermonna-t-il. Tu ne pouvais vraiment pas faire autrement...

Avec un profond soupir, il se ceignit d'une serviette et saisit son rasoir.

Elle se demandait sans doute s'il l'avait entendue, ce qu'il allait lui dire ce matin, ce qu'il ressentait pour elle, et comment il envisageait l'avenir pour eux deux.

C'était bien là le cœur du problème.

Ils ne pouvaient pas partager leur avenir, et il ne savait vraiment pas comment le lui dire.

En entendant fonctionner la douche, Tonya poussa un soupir de soulagement au moins temporaire.

Certes, elle était loin d'être blasée. Elle n'avait pas fait très souvent l'expérience des lendemains de nuits d'amour, et n'avait jamais vécu de nuit comparable à celle qui venait de s'écouler.

A cette seule évocation, ses joues s'enflammèrent. Une brûlure qui, en un éclair, se propagea à l'ensemble de sa personne : elle avait couché avec Web Tyler. Elle avait fait l'amour avec Web Tyler — et cela avait vraiment eu le goût de l'amour.

Bien entendu pour lui, ce n'avait pas été le cas. Il était habile et expérimenté, voilà tout. Oh ! Il savait si bien ce qui plaisait aux femmes... Jusque-là, elle avait rarement crié ainsi. Mais jusque-là, elle n'avait pas couché avec lui…

Il avait dit que ç'avait été merveilleux. Qu'elle était merveilleuse.

Eh bien, à la claire et froide lumière du jour, elle trouvait tout ceci insensé. Et elle *se* trouvait insensée et stupide… Stupide d'être tombée amoureuse de Web douze ans auparavant, d'avoir entretenu son béguin pendant tout ce temps, et d'avoir succombé la veille au premier regard de braise qu'il lui avait adressé !

La seule chose qui pourrait être pire serait de tomber de nouveau amoureuse de lui. Dieu merci, cela ne s'était pas encore produit ! songea-t-elle — tout en sentant son cœur chavirer quand même.

Avec un soupir, elle se dirigea vers l'évier pour se laver les mains. Le téléphone sonna en même temps que Web sortait de la salle de bains.

Elle sursauta. Le téléphone n'avait pas fonctionné pendant plusieurs jours, évidemment…

A moins que le seul fait de voir Web ne soit un choc, après l'incroyable nuit qu'ils venaient de passer ensemble ?

— Allô, petite fille !

La voix bourrue de Charlie, bien plus forte que la dernière fois qu'elle l'avait entendue, retentit au bout du fil.

— Charlie !

Heureuse d'entendre le vieil homme recouvrer toute sa vigueur, elle se saisit du combiné des deux mains.

— Comment allez-vous ?

— Je m'ennuie à mourir.

— C'est bon signe.

— Pour sûr. Je me porte comme un charme, mais ils ne me lâcheront pas avant la semaine prochaine. Pour rééduquer le cœur, ou je ne sais quelle excuse de ce genre, qui ne sert qu'à soutirer plus d'argent à ma compagnie d'assurance.

— Ravie de savoir qu'ils prennent bien soin de vous, dit-elle en souriant.

— Alors, comment ça se passe là-bas ? Ça fait une paye que je n'ai pas eu de vos nouvelles.

Elle lui expliqua que l'orage avait coupé l'électricité et le téléphone.

— Je me doutais bien que c'était quelque chose comme ça. Vous avez trouvé le générateur et vous l'avez mis en route ?

Elle lança un coup d'œil furtif à Web qui se versait une grande tasse de café.

— Oui. Cela fonctionne. Je pense que nous n'en aurons plus besoin très longtemps. Ils ne vont pas tarder à rétablir l'électricité, puisque le téléphone marche déjà.

Ils parlèrent ensuite des ours — sa principale préoccupation. Puis elle raccrocha, non sans avoir promis à Charlie de lui rendre visite le plus vite possible, dès que les routes seraient praticables.

— Les nouvelles sont bonnes ? demanda Web en reposant sa tasse.

Il était plus facile de parler de Charlie que de la nuit qu'ils venaient de passer.

— Eh bien, il avait l'air pas mal, mieux que la dernière fois, en tout cas. Ils le laisseront partir la semaine prochaine s'il continue à se rétablir comme ça.

— Et s'il ne se rétablit pas suffisamment pour vivre seul ici ?

Elle y avait déjà pensé. Cette possibilité l'inquiétait depuis quelque temps.

— Dans ce cas, j'espère que nous trouverons le moyen de l'aider.

154

— Je me demande s'il a cherché une solution à long terme pour ses ours.

Tonya soupira profondément. Cela aussi l'inquiétait depuis qu'il était tombé malade.

— J'en doute. Et c'est un vrai problème : les ours sont entièrement dépendants de lui pour leur nourriture, et ils le resteront tant qu'ils vivront dans cette forêt. Vous savez, chez les ours, les souvenirs se transmettent de génération en génération.

Puis, voyant qu'il la considérait avec perplexité, elle ajouta :

— Tous les ours qui ont commencé à manger ici depuis quarante ans transmettront leurs souvenirs à leurs descendants. Ces derniers, à leur tour, feront la même chose avec leur progéniture. Et ainsi de suite. Le cycle ne se rompra jamais.

— Si je comprends bien, il faudra toujours que quelqu'un les nourrisse ?

— Malheureusement, oui.

— Et lorsque Charlie disparaîtra — je sais que c'est dur à envisager, se hâta-t-il d'ajouter en voyant la grimace involontaire de la jeune femme, mais il a quatre-vingts ans —, les ours devront se débrouiller seuls.

— Peut-être pas, dit-elle calmement.

Elle lut la surprise sur son visage.

— Tu ne parles pas sérieusement ? Tu envisages de lui succéder ?

Elle haussa les épaules.

— Jusqu'à ce que je trouve une autre solution.

Il ne comprenait pas, elle le voyait dans ses yeux. Il ne comprenait pas comment on pouvait vivre comme Charlie. Et, à présent, il se demandait probablement ce qui avait bien pu le pousser à lui faire l'amour la nuit précédente.

— Pour parler de cette nuit, dit-elle, rassemblant son courage, c'était vraiment exceptionnel. Dans tous les sens du terme. J'ai adoré, mais ne compliquons pas les choses avec des regrets, d'accord ?

Web ne savait pas s'il devait la prendre dans ses bras pour lui donner une accolade ou sortir de la cabane en claquant la porte.

Elle l'avait bien tiré d'affaire en lui épargnant la peine de tenir un discours semblable. Il devrait être fou de joie, mais ce n'était pas le cas. Loin de là.

Jamais il n'aurait cru entendre un jour une déclaration de ce genre dans la bouche de Tonya.

Et jamais il n'aurait cru qu'elle le devancerait à ce petit jeu, lui qui, à force de pratique, avait presque porté ce genre d'exercice à la hauteur de l'œuvre d'art.

Chaque fois qu'il avait quitté une femme, il lui avait dit la même chose, sous différentes formes. Du moins, jusqu'à ce jour.

Mais aujourd'hui, c'était une femme qui le lui disait ! Et il n'appréciait pas particulièrement, surtout de la part de Tonya. La vie vous ménage parfois des surprises pleines d'ironie...

Et alors ? se réprimanda-t-il. La seule question importante, c'était : « Pourquoi ? »

Pourquoi cela le dérangeait-il à ce point ? Qu'est-ce qui l'empêchait de la remercier de lui épargner la peine de se sortir lui-même de cette situation délicate ?

La vérité s'abattit sur lui comme un Boeing 747 en atterrissage forcé :

« C'est parce que tu l'aimes, bougre d'idiot ! »

Il *l'aimait*. Il était amoureux. Pour la première fois de sa vie.

Cette prise de conscience était phénoménale, sidérante... Il fallait absolument qu'il s'isole un instant pour mettre de l'ordre dans ses idées.

— Je vais vérifier le générateur, dit-il d'une voix rauque en filant droit vers la porte.

Il haletait, le sang lui battait aux tempes... Au point qu'il fut obligé de s'appuyer contre la paroi en planches de l'appentis pour recouvrer un peu de calme.

— Quel sac de nœuds ! Et dire que c'est toi-même qui les as noués !

Il se passa une main mal assurée sur le visage. C'en était fait de lui, il était tombé amoureux.

Un coup dur s'il en était.

Que pouvait-il faire à présent ?

Tonya ne lui permit pas d'y penser trop longtemps.

— Web ! hurla-t-elle.

Cet appel était chargé de tant d'angoisse qu'il reconnut à peine sa voix. Mais il n'eut aucun mal à reconnaître la panique qu'elle exprimait.

S'emparant de la première chose qui ressemblait à une arme — un marteau —, il sortit en trombe du hangar et trouva la jeune femme face à face dans la clairière avec l'ours le plus énorme qu'il avait jamais vu.

— C'est Damien ! cria-t-elle, figée sur place.

L'animal titubait comme un homme ivre. Il trébucha contre une pierre, s'acharna à grands coups de patte contre une casserole de nourriture, puis se dressa sur ses pattes de derrière et porta un coup terrible à une mangeoire à oiseaux, qui se retrouva à terre, complètement défoncée.

Web se précipita devant Tonya pour lui faire un rempart de son corps et leva son maillet.

— Non ! s'écria-t-elle en lui saisissant convulsivement le poignet. Ne le frappe pas ! Regarde : il est blessé, on lui a tiré dessus !

Il vit le sang de Damien couler en même temps qu'elle s'écartait de lui, les joues ruisselant de larmes. Du sang épais, rouge sombre, qui suintait d'une blessure ouverte et maculait son épaisse fourrure noire tout autour de l'épaule…

Il retomba lourdement sur ses quatre pattes et, tête basse, fit encore quelques pas en titubant.

— Va chercher le fusil de Charlie dans la cabane, ordonna Web. S'il n'est pas chargé, essaye de trouver des cartouches. Dépêche-toi !

— Tu ne vas pas le tuer ! Ce n'est pas possible ! s'écria-t-elle en l'agrippant par la manche.

— Je n'en ai pas envie, mais cela pourrait très vite mal tourner. Il souffre trop, il est prêt à frapper n'importe quoi. Il pourrait te blesser. Va chercher le fusil.

Comme elle hésitait encore, il la poussa vers la cabane.

— Vas-y ! hurla-t-il.

Sans quitter l'animal des yeux, il se mit à reculer lentement en direction de la cabane. Soudain, Damien émit un sourd grognement qui ne tarda pas à se muer en un rugissement de colère et de douleur. Puis, à l'instant où Web atteignait la première marche de la véranda, il poussa un énorme et bruyant soupir et s'effondra.

La matinée d'automne avait beau être fraîche, Web s'aperçut qu'il était couvert de sueur… Il s'approcha avec circonspection de l'animal à terre.

Le sang coulait à flots de sa blessure. Visiblement, il ne survivrait pas.

Il entendit se rapprocher Tonya.

— Nous ne pouvons pas le laisser mourir comme ça ! s'écria-t-elle.

A moins d'un miracle, Web ne voyait vraiment pas comment le sauver. Il se tourna vers elle.

Ses yeux noyés de larmes reflétaient une douleur si réelle et si vive qu'il eut l'impression de recevoir un coup de poignard.

Il ne pouvait la laisser souffrir à ce point.

— Va voir si Charlie a un numéro d'urgence vétérinaire. En quarante ans, il a sûrement déjà eu affaire à d'autres ours blessés… Dis-leur qu'ils devront l'opérer sur place. Et qu'ils ne se déplaceront pas pour rien : je doublerai leurs honoraires s'ils arrivent dans l'heure qui vient.

Lorsqu'il l'entendit parler au téléphone, il s'approcha encore un peu de l'ours abattu. Que ne ferait-il pas au nom de l'amour ? se demanda-t-il.

Et, tandis qu'il parvenait à portée d'un animal capable, même blessé, de lui casser la tête d'un seul coup de patte, il admettait, pour la première fois de sa vie, que l'amour faisait réellement des miracles.

Le souffle de Damien était sourd et court.

Web connaissait suffisamment les règles de base des secours d'urgence pour savoir que, s'il n'arrêtait pas l'hémorragie, l'animal serait mort avant l'arrivée des secours.

— O.K., mon grand, cela doit rester entre nous. Je me présente : je suis Web, un type pas franchement porté à l'héroïsme. Les grosses bêtes poilues ne font pas partie de mes fréquentations habituelles.

Entre deux respirations pénibles, l'ours gémit. Un gémissement de douleur qui semblait presque humain.

Le cœur frappant à grands coups sourds dans sa poitrine, Web s'agenouilla près du dos de l'animal.

— Pas de geste brusque, d'accord ? Maintenant, tu as compris que j'essaye de t'aider, j'espère.

Il se défit de sa chemise, en fit un tampon et l'appliqua sur la blessure.

L'ours leva un instant la tête, puis la laissa retomber. Serrant les dents, Web ne bougea pas d'un centimètre et accentua progressivement la pression jusqu'à ce que sa chemise soit imbibée de sang.

— Ils arrivent avec un hélicoptère, annonça posément Tonya.

La jeune femme l'avait rejoint et se tenait derrière lui. Il ne l'avait même pas entendue approcher.

— Trouve-moi des serviettes, dit-il sur le même ton.

Là-dessus, il s'agenouilla afin d'exercer une pression plus forte.

Lorsqu'il enleva — avec mille précautions — le tampon qu'il avait formé avec sa chemise, l'écoulement du sang s'était quelque peu ralenti. A la place, il appliqua la serviette que Tonya venait de lui rapporter de la cabane.

Cette fois, il appuya de tout son poids, en priant que l'animal ne sorte pas de son coma.

— Ça va mieux, n'est-ce pas ? s'enquit anxieusement Tonya.

— Ouais ouais, ça va mieux.

En effet, en quelques minutes, le flux de sang s'était — enfin — considérablement ralenti.

Ce qui voulait dire, soit qu'il avait réussi à juguler l'hémorragie, soit que l'ours avait épuisé sa réserve de sang...

160

— Ils pensent être là dans combien de temps ?

— Une demi-heure. Parce que j'ai triplé leurs honoraires. Je paierai la différence, se hâta-t-elle d'ajouter.

Web ne put s'empêcher de sourire. Il cessa bien vite, se rendant compte à quel point l'animal était inerte. Certes, il respirait faiblement, mais c'était là le seul signe qu'il était encore vivant.

— Il nous reste à espérer qu'ils arriveront à temps, dit-il en pressant sur la blessure à s'en faire mal aux bras.

— Je peux te remplacer pendant quelque temps.

Il baissa la tête pour s'essuyer le front sur son bras.

— Pas question. Il peut revenir à lui d'un instant à l'autre, et je ne veux pas qu'il te fasse de mal. De plus, cela ne servirait à rien de nous salir tous les deux. Par contre, tu pourrais étaler des draps ou quelque chose de ce genre pour signaler à l'hélico où il doit se poser.

Il la vit partir de nouveau en courant vers la cabane, tandis qu'un moustique se mettait à bourdonner autour de son oreille.

Il laissa la sale bête atterrir. Et même le piquer. Il avait peur de relâcher sa pression.

Ses bras commençaient à trembler — et il transpirait comme un boucher — lorsqu'il entendit le bruit d'hélices d'un hélicoptère.

Il ne relâcha pas la pression pour autant. Il attendit pour cela que l'assistant du vétérinaire vienne le relayer.

Ce serait un miracle si on parvenait à le sauver, dit le vétérinaire après un rapide examen, mais il allait faire de son mieux.

L'hélicoptère avait été mis à la disposition du vétérinaire et de son aide, ainsi que le garde forestier pour le piloter, par le ministère des ressources naturelles du Minnesota.

Dès que Damien fut stabilisé, Web leur donna un coup de main pour le hisser dedans à l'aide d'une élingue pour bétail et d'un treuil. Puis l'appareil décolla immédiatement pour rejoindre Minneapolis où attendait l'équipe médicale du zoo.

Tonya s'approcha de Web sans quitter des yeux l'hélicoptère qui disparaissait derrière la cime des arbres.

— S'il s'en sort, dit-elle, ce sera grâce à ce que tu as fait pour lui.

Il leva la main pour écarter de son front une mèche de cheveux humides, mais s'arrêta à mi-chemin : sa main était couverte de sang séché. Tout comme son torse et son pantalon.

— S'il s'en tire, ce sera surtout parce qu'il a la peau dure.

— Hum... Eh bien, ce n'est pas l'avis du vétérinaire.

Tonya était sidérée par le courage dont Web avait fait preuve.

Il avait risqué sa vie pour sauver celle de Damien. Pourtant, il savait bien qu'un ours blessé pouvait tuer, et il n'avait aucun moyen de savoir si l'animal attaquerait ou non. Pendant ce temps, paralysée par la panique, elle n'avait pas fait grand-chose pour l'aider.

Web haussa les épaules et se dirigea vers la cabane.

— Le garde forestier — il s'appelle Jack, n'est-ce pas ? dit que si on retrouve la balle, on aura un indice qui permettra peut-être de retrouver celui qui a tiré alors que la chasse n'est pas encore ouverte.

— J'espère bien qu'ils vont l'épingler !

— Nous sommes deux à l'espérer.

— Tu commences à les aimer, pas vrai ? demanda-t-elle d'une voix douce.

Elle sentait de multiples émotions s'agiter dans sa poitrine. Des relents de peur pour Damien et pour Web, de la gratitude, de la tendresse. Et quelque chose de plus intense.

Quelque chose qu'elle éprouvait pour Web, mais qu'elle n'était pas encore prête à reconnaître.

Il ne répondit pas, mais plongea longuement ses yeux dans les siens.

Elle sentit son cœur s'affoler.

— Je commence à t'aimer, dit-il enfin. Bon, je vais prendre une douche.

Immobile, l'estomac serré, elle le regarda entrer dans la salle de bains.

« Je commence à t'aimer. »

Les mains de Tonya tremblaient en mettant de l'eau à chauffer dans la bouilloire.

Le thé ne la calmerait certainement pas, mais, au moins cela l'obligeait à faire quelque chose, au lieu de regarder dans le vague à se demander stupidement dans quelle mesure elle pouvait ajouter foi aux paroles qu'il venait de prononcer.

Elle avait enfin accepté le fait qu'elle l'aimait. Profondément. Elle ne pouvait plus le nier. Alors, après ce qu'il venait de lui dire, tout semblait possible.

Mais n'était-ce pas trop désirer ? Pouvait-elle vraiment espérer partager sa vie avec lui ?

Le téléphone sonna juste au moment où la bouilloire se mettait à siffler, l'arrachant à ses réflexions.

— Allô ?

C'était une voix de femme.

— Je suis heureuse d'avoir enfin quelqu'un au bout du fil. Puis-je parler à Web Tyler ?

— Il est bien ici, mais il prend sa douche en ce moment. Voulez-vous l'attendre ou laisser un numéro où il pourrait vous rappeler ?

— Oh, il sait comment me joindre. Mais je ne vais pas raccrocher tout de suite après avoir essayé d'établir la connexion pendant des jours. Je vais l'attendre. Vous ne seriez pas Mlle Griffin, par hasard ?

— C'est exact.

— Bonjour, mademoiselle. Je suis Pearl, la secrétaire de Web.

Et aussi sa marraine, ajouta mentalement Tonya en souriant. Elle aimait la chaleur qui émanait de la voix de Pearl.

— Web m'a parlé de vous.

— Cela ne m'étonne pas. Comment se porte notre homme ? Toujours ronchon ? Ou a-t-il suivi mon conseil et commence-t-il à se détendre ?

— Je dirai : un peu des deux, hasarda Tonya en toute sincérité.

Elle dressa l'oreille, n'entendant plus couler la douche. Elle se sentait toujours agitée par les derniers mots qu'il avait prononcés — et par le regard qui les accompagnait.

Lorsqu'il sortit, une serviette humide autour de la taille, ses cheveux étaient mouillés, de petites gouttes d'eau luisaient encore sur son torse, et dans ses yeux elle vit ce qu'elle avait toujours rêvé d'y voir...

— C'est pour toi, dit-elle en lui tendant le combiné. Ta secrétaire.

Ne voulant pas être indiscrète, elle retourna à sa

bouilloire, mais elle ne pouvait éviter d'entendre ce que disait Web.

Elle sourit lorsqu'il s'enquit affectueusement de la santé de Pearl. Puis il devint sérieux et attentif pour régler différentes questions concernant les projets qu'il avait laissés en suspens lorsqu'il était parti dans le Minnesota lui faire signer son fameux contrat.

Plus il parlait, plus il paraissait évident qu'elle s'était fait des illusions : avant tout, il était P.-D.G. d'une grande maison d'édition. C'était un homme d'action, un décideur. New-yorkais jusqu'au bout des ongles, il n'avait rien de commun avec une photographe de la nature qui détestait sentir le béton sous ses pieds et avait besoin de grands espaces pour garder son équilibre.

Ils n'avaient aucune chance d'unir un jour leurs vies.

Un poids oppressant s'abattit sur ses épaules à mesure que la réalité s'imposait à son esprit.

Depuis le début, elle savait qu'ils appartenaient à deux mondes qui n'avaient rien en commun. Que leurs besoins et leurs désirs n'étaient pas faits pour s'accorder.

Elle sortit furtivement de la cabane, le laissant discuter d'emplois du temps et de mutations de personnel.

Une fois dehors, elle cessa de lutter pour retenir ses larmes.

10.

Web trouva Tonya dans le hangar en train de remplir les casseroles de nourriture pour les ours.

— Alors, tu as fait la connaissance de Pearl.

— Oui, répondit-elle sans le regarder. Elle a l'air très gentille.

Affairée, elle ouvrit un nouveau sac de nourriture et y plongea son godet.

Elle était plutôt distante, soudain, s'avisa-t-il. Beaucoup trop.

— J'ai l'impression que quelque chose ne va pas.

Elle secoua la tête.

— Je suis préoccupée, c'est tout.

— A cause de Damien ?

Une larme coula sur sa joue. Elle n'eut pas le temps de détourner la tête pour la lui cacher.

Il s'approcha d'elle, lui posa les mains sur l'épaule et la fit se tourner vers lui.

— Hé, tout va bien ! C'est un dur, il s'en tirera.

Elle poussa un soupir tremblotant et se blottit contre sa poitrine.

— C'est vrai.

Il serra quelque temps dans ses bras cette femme si forte, si combative — et pourtant vulnérable, capable de fondre en larmes à la vue d'un ours blessé.

Elle était aux petits soins pour ceux qu'elle aimait. Et il savait qu'elle l'aimait. Il le savait pratiquement depuis le début. Cela tombait particulièrement bien, puisque, lui aussi, il l'aimait.

Il voulait le lui dire. Il voulait l'entendre.

— Je t'aime, Tonya.

La jeune femme se figea.

Un long silence s'ensuivit, ponctué de sa seule respiration courte, ainsi que d'un lointain grondement ressemblant fort au tonnerre — hypothèse peu vraisemblable, puisque le ciel était d'un bleu d'azur. Il ne pouvait s'agir que des engins de déblaiement qui les atteignaient enfin.

Elle se dégagea de ses bras et rejeta ses cheveux en arrière, fixant obstinément le sol.

— O.K., tu n'as pas l'air de connaître les règles du jeu. Si je dis : « Je t'aime », toi, tu...

Il s'interrompit, prolongeant ses paroles d'un impérieux geste de la main.

Très lentement, Tonya secoua la tête.

— C'est inutile, Web.

— Inutile ?

L'angoisse s'insinua en lui, lui noua l'estomac.

— Je te dis que je t'aime, et tu me réponds que c'est inutile ?

— Tu veux vraiment que je te dise que je t'aime ? s'écria-t-elle, rouge de colère. Très bien. Je t'aime, d'accord ? Je t'aime. Mais *pourquoi faire* ?

Déconcerté, il battit des paupières et partit d'un petit rire gêné.

— Eh bien, ce que j'avais en tête, c'était de vivre heureux ensemble, pour toujours...

— Et où vivrons-nous heureux ensemble ? A New York ?

Il se renfrogna, comprenant où elle voulait en venir.

— Ta vie ne peut pas s'accorder avec la mienne, Web, dit-elle sur un ton plus calme, gagnée par le découragement. Ne nous leurrons pas : nous ne trouverons pas de moyen terme acceptable. Tu ne peux vivre qu'à New York, et moi ici — ou du moins le plus loin possible de la ville.

Elle s'interrompit, ses yeux bleus implorants fixés sur lui. Du côté de la route, le bruit des engins de déblaiement s'amplifiait inexorablement.

— Tu comprends, poursuivit-elle, j'aimerais tant trouver un moyen terme. Mais ce serait stupide de croire que c'est possible.

Difficile de nier l'évidence, il savait qu'elle avait raison. Mais il ne pouvait se résoudre à jeter l'éponge.

— Tu as vraiment si peu de foi en nous deux ?

Lassitude, tristesse et résignation se peignirent sur le visage de Tonya.

— Web, c'est en l'amour que je n'ais pas assez de foi. Je sais qu'il ne suffit pas toujours. Et, même s'il suffisait, il faut regarder la réalité en face : nous n'avons passé en tout que quatre jours ensemble, dont les deux premiers à nous disputer. Ce que nous ressentons l'un pour l'autre à présent — ce que nous *pensons* ressentir l'un pour l'autre — nous paraîtra bien différent lorsque la magie des premiers temps n'opérera plus !

Elle s'approcha de Web et posa la main sur sa joue.

— Désolée...

Puis elle poussa la porte du hangar et sortit.

Qu'aurait-il pu objecter à tout ça ? Elle avait raison. Sur tout. Sauf sur un point important : ce qu'il éprouvait à son égard ne changerait jamais. Il l'aimait. Bien trop pour supporter de la rendre malheureuse.

Très abattu, il sortit à son tour de l'appentis.

Au loin, le bulldozer et la noria avaient cessé de fonctionner. La route était dégagée.

S'il avait cru aux signes du destin, il y aurait vu la preuve qu'il était temps pour lui de partir...

— Des questions urgentes t'attendent à New York, dit-elle d'une voix tellement dénuée d'émotion qu'il en fut effrayé. Il faut dire à ces types que tu as besoin de repartir tout de suite pour la ville.

— Arrête de faire tout ce cinéma autour de moi, petite ! Je suis peut-être vieux, mais pas près de mourir !

Tonya laissa le vieux dur à cuire s'asseoir sur la chaise qu'elle venait de tirer pour lui et s'assit devant son propre bol de thé.

Charlie avait raison. Elle semblait incapable de cesser de s'occuper de lui.

Cela faisait à présent quatre jours qu'il était rentré, et progressivement il recouvrait ses forces. Mais il avait perdu du poids, se fatiguait encore vite, et son visage arborait toujours une pâleur d'hôpital.

— Si je n'étais pas aux petits soins pour vous, vous n'auriez personne contre qui rouspéter et vous plaindre. Ce serait moins drôle !

— A voir toutes ces femmes me couver comme des mères poules, je me demande bien comment j'ai pu vivre seul pendant tant d'années !

Il essayait de sauver la face en ronchonnant au sujet d'Helga. Pourtant, Tonya savait combien il appréciait les attentions de la vieille dame, qui lui apportait régulièrement jusque dans sa cabane ragoûts, légumes et fruits frais.

Dans l'ensemble, les nouvelles étaient bonnes.

Charlie était de retour chez lui. Le zoo de Minneapolis avait fait savoir que Damien avait passé le cap le plus difficile et qu'après une longue convalescence, il pourrait sans doute retrouver sa forêt. Quant au ministère des ressources naturelles, il avait pris en compte des indices qui devraient permettre d'identifier le chasseur en faute.

Pour sa part, Tonya avait envoyé sa dernière série de photos à son agent, qui avait déjà reçu des offres de plusieurs magazines.

Oui ! La vie était belle. La vie était formidable. Et elle, elle était formidablement malheureuse.

Cela faisait deux semaines maintenant que Web était parti et, depuis, il ne se passait pas un jour sans qu'elle n'ait envie de le rappeler.

Pour lui dire qu'elle avait eu peur de ses propres sentiments, qu'elle avait laissé parler son manque d'assurance, qu'ils se débrouilleraient bien pour trouver un compromis...

Car, depuis que Charlie lui avait rapporté ce que Web avait fait, elle savait que tout était possible.

« Je n'le connaissais ni d'Eve ni d'Adam quand il s'est pointé à l'hosto, lui avait dit Charlie. Il m'a expliqué qui il était, et qu'il avait séjourné dans la cabane avec toi. Puis il m'a fait une offre qu'il aurait fallu être un triple idiot pour refuser. »

Web avait proposé à Charlie de lui racheter sa propriété trois fois son prix et de lui en laisser l'usufruit à vie, tout en la transformant officiellement en refuge pour les ours.

Tonya reposa son bol vide et en considéra le fond d'un air absent. Elle était encore sidérée par cette histoire.

— N'le laisse pas te filer entre les doigts, fillette !

Elle considéra, bouche bée, le vieil ours bourru et gentil qui lui faisait face. Jamais elle ne l'aurait cru si intuitif ! Elle ne lui avait pourtant pas dit un seul mot de sa relation avec Web. Mais de toute évidence, elle n'avait guère su cacher ses sentiments...

— N'le laisse pas s'échapper ! répéta-t-il. Je demanderai à Helga d'm'aider. A nous deux, on viendra bien à bout des corvées. Et l'temps que j'me fatigue de ses sermons sur la nourriture saine et les exercices physiques modérés et que je la flanque à la porte, j'aurai retrouvé ma forme d'antan. Cours ! insista-t-il. Cours arranger ça !

Il avait raison. Il fallait qu'elle répare ce qu'elle avait défait, en espérant qu'il ne soit pas trop tard.

Elle le serra dans ses bras.

— Vous ne la flanquerez nulle part, Charlie. Vous avez trop de jugeote pour cela. De toute façon, vous l'aimez bien !

Il répondit par un grognement.

— Je reviendrai vous voir bientôt, promit-elle en souriant.

Puis elle courut préparer son sac à dos.

Chaque nuit, Web croyait sentir l'odeur de la lotion antimoustique.

Enfin, seulement lorsqu'il dormait. Ce qui était rare.

Cela faisait une semaine qu'il avait quitté le Minnesota. Une semaine durant laquelle il n'avait cessé de tenter de se convaincre qu'il était heureux comme un roi d'en être revenu, de pouvoir de nouveau vivre au rythme de la cité, et non à celui des intempéries, des ours, et d'un lutin blond aux yeux bleus qu'il ne pouvait se sortir de la tête.

Il était incapable de penser à autre chose qu'à elle. Au désir qui s'était reflété dans ses yeux lorsqu'il lui avait fait l'amour, à la douceur de sa peau sous ses lèvres…

Et même au parfum de sa lotion antimoustique, songea-t-il amèrement, croyant de nouveau en sentir les effluves.

Ce qui était ridicule lorsqu'on se trouvait dans un bureau de la Sixième Avenue, au siège social de sa société, au cinquante-sixième étage…

Il entendit la porte s'ouvrir.

— Pas maintenant, Pearl ! dit-il sans lever le nez.

— Je ne suis pas Pearl. Et si le moment est mal choisi, j'attendrai le temps qu'il faudra.

Il leva brusquement la tête.

Elle était là, la femme de ses rêves ! Avec son short kaki et ses genoux écorchés — et son parfum merveilleux, délicieux, de lotion antimoustique !

De toute sa vie, il n'avait jamais rien vu d'aussi beau.

Il était là, l'homme de ses rêves, derrière son bureau ! pensa Tonya. Raffiné et distant dans son costume de

172

grand couturier, les traits un peu tirés et l'air passablement tourmenté.

De toute sa vie, elle n'avait jamais rien vu d'aussi beau.

Il la considéra d'un air indécis, semblant se demander s'il devait se lever, s'enfuir, ou rester immobile.

Apparemment, ce fut la dernière option qu'il choisit : il demeura sur son fauteuil comme un roi sur son trône, maître de son univers.

Il lui fit penser à Damien, lui aussi seigneur dans son domaine. Deux mondes aux antipodes l'un de l'autre, mais que pourtant le destin avait su rapprocher... Pourquoi ne trouveraient-ils pas eux aussi le moyen de faire se rapprocher leurs univers ?

— Web, dit-elle sans préambule, tu as acheté la propriété de Charlie. Tu lui en as donné trois fois la valeur et lui en as laissé l'usufruit. Tu as entamé les procédures nécessaires pour la faire classer réserve naturelle et ouvert un compte pour payer des personnes chargées de l'entretenir.

Il battit des paupières.

— Oui. Et alors ?

— Pourquoi as-tu fait cela ?

Comme il ne répondait pas, elle s'approcha de son bureau, suppliant le ciel de pouvoir encore lire l'amour dans ses yeux.

Jamais elle n'avait éprouvé un besoin aussi grand que celui-là...

— Je crois que tu as fait cela parce que tu es un chic type...

— Ce n'est qu'une rumeur désobligeante. Je me demande qui l'a lancée.

— Je crois que tu l'as fait parce que, comme moi, tu as trouvé les ours irrésistibles. Je crois que tu l'as fait parce que tu m'aimes.

Il ébaucha un pâle sourire, mais reprit aussitôt son expression désabusée.

— Il me semble avoir déjà mentionné ce détail. Ce qui ne t'a pas empêchée de m'envoyer au diable !

Ainsi, il n'hésitait pas à employer les grands moyens… Elle s'était préparée à cela.

— Je suis venue m'excuser.

— A quel sujet ?

— D'avoir laissé mes craintes influer sur mes décisions.

Il demeura immobile, affichant une indifférence totale, mais elle lut dans ses yeux que sa présence le touchait davantage qu'il ne voulait le lui laisser voir.

Elle comprit alors à quel point elle l'avait blessé.

— Je suis désolée. Vraiment désolée. Je me suis laissée influencer par ma crainte la plus tenace : celle de m'ouvrir à un homme qui serait peut-être incapable de m'accepter telle que je suis. Cette peur m'a empêchée de te voir tel que tu es réellement, Web : sérieux et sincère. Un homme à qui je peux faire entièrement confiance.

Il parut soulagé et poussa un profond soupir.

— Et moi, j'ai été stupide de partir sans essayer davantage de te convaincre.

— Alors, c'est que nous sommes deux idiots manquant totalement de confiance en nous dès qu'il s'agit d'amour. Je t'aime, Web.

Il ferma les yeux quelques instants avant de lui sourire.

— Et si tu venais me le dire ici ? demanda-t-il en reculant son fauteuil.

174

Elle n'hésita pas un seul instant : elle contourna le bureau et s'assit sur ses genoux. Puis, passant les bras autour de son cou, elle sourit en le regardant dans les yeux.

— Cela marchera, j'en suis convaincue à présent. Mais il faudra que chacun y mette du sien.

— Je n'ai jamais douté que nous étions capables de former un couple.

Puis il ajouta, d'un ton plus calme :

— Je dois avouer que cela m'intimide autant que toi : je ne suis pas sûr d'être fait pour les serments éternels. Jamais je n'ai pensé que je serais un jour capable de combler une femme pendant toute sa vie.

— Je ne suis pas n'importe quelle femme.

Il eut un petit rire et pressa son front contre le sien.

— Ça, c'est tout à fait juste, mon amour !

— Et toi, tu n'es plus le P.-D.G. complètement stressé que j'ai vu débarquer chez moi un beau matin.

— Cela aussi, c'est vrai. Je comptais sur ce défi de lancer un nouveau magazine pour me refaire une santé. En fait, je n'avais besoin que de toi. Tu fais ressortir ce que j'ai de meilleur en moi.

— Parce que tu es déjà le meilleur homme possible.

Abandonnant toute velléité de taquinerie, il la serra très fort contre lui.

— Mon Dieu ! Comme tu m'as manqué !

Elle sentit son regard s'embuer. Heureusement, comme Web le faisait souvent, il changea brusquement de ton.

— Nous trouverons plus tard le temps de discuter de mes qualités. Pour l'instant, j'ai surtout besoin de te sentir tout contre moi. Sans vêtements, précisa-t-il en la faisant se lever.

Là-dessus, il la prit par la main et l'entraîna vers la porte.

— Annule tous les rendez-vous de cet après-midi ! dit-il à Pearl tandis qu'ils passaient presque en courant devant son bureau.

— Et pourquoi pas ceux de demain, pendant que j'y suis ? suggéra Pearl avec un large sourire — et un clin d'œil à l'adresse de Tonya.

— Tu comprends maintenant pourquoi je l'ai gardée comme secrétaire de direction ? dit joyeusement Web en appelant l'ascenseur. Elle sait déjà avant moi tout ce dont j'ai besoin !

— Moi aussi, je sais ce dont tu as besoin, murmura Tonya, tandis que les portes de l'ascenseur se refermaient sur eux.

Alors il la prit dans ses bras et l'embrassa longuement, passionnément...

Tonya se mit à rire lorsque Web abaissa les rideaux de la limousine avant de la reprendre dans ses bras..

— Une seule chose me retient de te faire l'amour sur-le-champ, murmura-t-il en lui effleurant le cou de ses lèvres — et en la pressant encore davantage contre le luxueux siège de cuir. C'est que le trajet est trop court, et je tiens à prendre tout mon temps.

— Cela tombe bien, répliqua-t-elle, entortillant ses cheveux autour de ses doigts avant d'attirer ses lèvres contre les siennes. Justement, j'ai tout mon temps.

Ils restèrent enlacés pendant tout le trajet jusqu'à son appartement de Soho.

Lorsque Web la fit entrer, Tonya eut vaguement conscience de couleurs flashantes, d'éclats de chromes, de hautes baies vitrées... et de surtout ses mains qui commençaient à tirer hors de son short les pans de son chemisier.

— J'avais cru t'entendre parler de prendre ton temps, dit-elle en riant, tandis qu'il se battait avec les boutons de son chemisier.

— Selon moi, il ne s'agit pas encore des préliminaires. Nous avons tout l'après-midi et toute la nuit pour prendre notre temps.

— Tu oublies la journée de demain.

— Nous avons beaucoup de temps à rattraper, insista-t-il, le regard brûlant de passion. Il faut commencer dès maintenant !

Enfin, il atteignit le dernier bouton et découvrit le soutien-gorge de dentelle.

— Rose. Dieu soit loué ! s'exclama-t-il. Sais-tu combien de fois j'ai rêvé à ces petits bouts de dentelle ?

— Combien de fois ? demanda-t-elle, faisant glisser son short le long de ses hanches pour révéler la petite culotte assortie au soutien gorge.

— Beaucoup trop, en tout cas.

Il lui mordilla doucement l'épaule en lui faisant prendre la direction de la chambre.

— Je vois que tu as travaillé dur, dit-il entre deux baisers.

Il venait de repérer une nouvelle égratignure sur son genou. Il l'embrassa à cet endroit.

— Il y a d'autres endroits que je pourrais soulager en les embrassant ?

— Là ! chuchota-t-elle en indiquant le creux situé à la base de son cou. J'ai vraiment besoin d'un baiser là.

Il ne se le fit pas dire deux fois.

— Et là, qu'en penses-tu ? murmura-t-il en s'attardant au creux de son épaule, avant de presser ses lèvres contre la dentelle du soutien-gorge.

— Oh, oui ! Ici plus qu'ailleurs. Moi aussi, j'ai fait des rêves…

Sans quitter son visage des yeux, il dégrafa son soutien-gorge. Puis il se pencha sur elle et prit son téton dans sa bouche.

Un flot de sensations déferla sur elle, si intense que tous ses sens en furent submergés.

Les mains de Web glissaient sur sa peau nue en caresses pressantes.

— Je t'aime, murmura-t-il, avant de prendre le plus possible de sa poitrine dans sa bouche.

— J'ai… besoin de… Web, je t'en prie ! J'ai besoin de te sentir en moi…

— Cela doit pouvoir s'arranger, assura-t-il en défaisant sa ceinture.

Elle attendit — une éternité, pensa-t-elle — qu'il ait fini de se déshabiller, puis il la rejoignit enfin dans le lit. Peau contre peau, chaleur contre chaleur.

Elle s'imprégna du grain de sa peau et de son parfum, lui prit la tête entre les mains et l'embrassa. Leur baiser ne fut que lèvres douces, ardeurs brûlantes et sensations délirantes…

Se retrouvant sur le dos, il la leva au-dessus de lui, trouva sa chaleur sous ses doigts et la caressa jusqu'à la rendre folle de désir.

Lorsqu'il voulut prendre un préservatif dans le tiroir, elle le caressa doucement à son tour.

— Je veux un enfant de toi, dit-elle sur une impulsion.

L'émotion qu'elle lut alors dans ses yeux faillit lui tirer des larmes.

Aussitôt, il la prit par les hanches et la laissa le recevoir en elle.

Il lui pressait tendrement les seins tandis qu'elle imprimait à leur union un rythme lent et torride, sans retenir davantage les paroles qu'elle avait trop longtemps gardées en elle :

— Je t'aime, Web. Je t'ai toujours aimé. Je t'aimerai toujours.

Web fut enchanté par l'émerveillement qu'il lut dans les yeux de Tonya lorsque celle-ci contempla le jardin qu'il avait fait aménager sur le toit.

— C'est ma contribution à l'écosystème, dit-il.

— Finalement, il y a aussi en toi un amoureux de la nature, dit-elle.

— Je suppose qu'il y a un peu de cela en tout homme, répliqua-t-il en la prenant dans ses bras.

Il ne pouvait pas résister. Elle était follement adorable dans la chemise blanche qu'il lui avait prêtée. C'était le seul vêtement qui touchait sa peau... Sa peau qu'il avait lui-même couverte de baisers et de caresses jusqu'à quelques minutes auparavant, et qu'il lui tardait de toucher de nouveau...

Soupirant de bonheur, elle posa la tête contre sa poitrine. Il l'embrassa dans les cheveux.

— Sais-tu qu'à peu près cinq cents espèces d'animaux vivent à Central Park, au cœur de New York ? demanda-t-il.

— J'ai entendu dire cela, en effet, répondit-elle avec circonspection. Veux-tu insinuer que c'est un lieu de travail rêvé pour une photographe de la nature ?

Soudain sérieux, il s'écarta légèrement d'elle et plongea les yeux au fond des siens.

— Nous allons nous organiser, Tonya. Je ne pourrai peut-être pas t'accompagner dans toutes tes missions, mais, chaque fois que ce sera possible, je le ferai.

Elle lui sourit avec une immensité d'amour dans les yeux.

— Et comme c'est toi qui m'assigneras ces missions, tu auras une idée assez précise des endroits où je me trouverai. C'est-à-dire, si ton offre de contrat tient toujours...

— Ne fais pas cela pour moi, protesta-t-il.

— Je le fais pour nous deux. Et parce que je n'éprouve plus le besoin d'être *freelance*. Je préfère le travail d'équipe, à présent, ajouta-t-elle avec un sourire coquin.

Il la serra tellement fort dans ses bras qu'elle lui cria d'éviter de lui briser les os, et il relâcha quelque peu son étreinte.

— Je t'aime, dit-il en l'embrassant avec ardeur. Et si nous faisions construire une petite cabane au bord du lac, pour rendre de temps en temps une petite visite à Charlie et à ses ours ? Qu'en dis-tu ?

— J'adore cette idée ! s'exclama-t-elle, les yeux embués. Tout comme je t'adore.

— Et si nous retournions dans la chambre pour que tu puisses me le prouver encore une fois ?

Elle le lui prouva. Plusieurs fois avant l'aube.

— Tu es insatiable, dit-il en riant.

Il était étendu sur le dos au milieu du lit, bras et jambes écartés, épuisé.

— Comment ai-je pu vivre sans toi ? Où étais-tu pendant tout ce temps ?

— Je t'attendais, dit-elle.

Il y avait tant d'amour dans ses yeux qu'il le sentit s'infiltrer en lui jusqu'à la moelle des os.

Il écarta une mèche de cheveux qui masquait les yeux de la jeune femme.

— J'ai bien peur que maintenant tu ne sois obligée d'attendre de nouveau. Au moins une demi-heure. A moins que...

— A moins que quoi ? interrompit-elle, les yeux brillants en réponse au ton espiègle de sa voix.

— A moins que tu ne mettes un peu de lotion anti-moustique.

Elle battit des paupières et secoua la tête, perplexe.

— Tiens, ça c'est nouveau !

— Ne m'en parle pas ! Chaque fois que je pense à cette odeur, ça m'excite.

Elle se mit à rire.

— Tu savais que tu étais un peu fou ?

— C'est vrai, je suis fou. Fou d'amour pour toi. Et si nous devenions vraiment fous et que nous nous mariions ?

Elle s'appuya sur un coude.

— Nous marier ? Tu parles sérieusement ?

— Je n'ai jamais été plus sérieux de ma vie.

— Tu ne vas pas reprendre tes esprits et retirer ta proposition ?

— Jamais de la vie !

Elle sourit. Le soleil levant illuminait son visage.

— Alors oui. Oui, oui, mille fois oui ! s'écria-t-elle avant de se jeter dans ses bras.

Certainement en effet étaient-ils tous les deux assez fous pour vivre heureux ensemble, songea-t-il, extatique, en refermant ses bras sur elle.

Le nouveau visage
de la collection Or

◆

AMOURS D'AUJOURD'HUI

Afin de mieux exprimer sa modernité et de vous séduire encore davantage, votre collection Or a changé de couverture et de nom depuis le 1er mars 1995.

Rassurez-vous, les romans, eux, ne changent pas, et vous pourrez retrouver dans la collection **Amours d'Aujourd'hui** tous vos auteurs préférés.

Comme chaque mois, en effet, vous y attendent des héros d'aujourd'hui, aux prises avec des passions fortes et des situations difficiles...

**COLLECTION
AMOURS D'AUJOURD'HUI :**
Quand l'amour guérit des blessures de la vie...

Chère lectrice,

Vous nous êtes fidèle depuis longtemps?
Vous venez de faire notre connaissance?

C'est pour votre plaisir que nous avons
imaginé un rendez-vous chaque mois
avec vos auteurs préférés, vos
AUTEURS VEDETTE dans les
collections Azur et Horizon.

Les AUTEURS VEDETTE vous
donneront rendez-vous pour de
nouveaux livres vedette.

Pour les reconnaître, cherchez
l'étoile... Elle vous guidera!

Éditions Harlequin

HARLEQUIN

LE FORUM DES LECTEURS ET LECTRICES

CHERS(ES) LECTEURS ET LECTRICES,

VOUS NOUS ETES FIDÈLES DEPUIS LONGTEMPS?

VOUS VENEZ DE FAIRE NOTRE CONNAISSANCE?

SI VOUS AVEZ DES COMMENTAIRES, DES CRITIQUES À
FORMULER, DES SUGGESTIONS À OFFRIR, N'HÉSITEZ
PAS... ÉCRIVEZ-NOUS À:
        LES ENTREPRISES HARLEQUIN LTÉE.
        498 RUE ODILE
        FABREVILLE, LAVAL, QUÉBEC.
        H7R 5X1

C'EST AVEC VOS PRÉCIEUX COMMENTAIRES QUE NOUS
ALLONS POUVOIR MIEUX VOUS SERVIR.

DE PLUS, SI VOUS DÉSIREZ RECEVOIR UNE OU
PLUSIEURS DE VOS SÉRIES HARLEQUIN PRÉFÉRÉE(S)
À VOTRE DOMICILE, NE TARDEZ PAS À CONTACTER LE
SERVICE D'ABONNEMENT; EN APPELANT AU
(514) 875-4444 (RÉGION DE MONTRÉAL) OU 1-800-667-4444
(EXTÉRIEUR DE MONTRÉAL) OU TÉLÉCOPIEUR
(514) 523-4444 OU COURRIER ELECTRONIQUE:
AQCOURRIER@ABONNEMENT.QC.CA OU EN ÉCRIVANT À:
        ABONNEMENT QUÉBEC
        525 RUE LOUIS-PASTEUR
        BOUCHERVILLE, QUÉBEC
        J4B 8E7

MERCI, À L'AVANCE, DE VOTRE COOPÉRATION.

BONNE LECTURE.

HARLEQUIN.

VOTRE PASSEPORT POUR LE MONDE DE L'AMOUR.

COLLECTION
HORIZON

Des histoires d'amour romantiques qui vous mènent au bout du monde!

Découvrez la passion et les vives émotions qu'apportent à la Collection Horizon des auteurs de renommée internationale!

Captivantes, voire irrésistibles, ces histoires d'amour vous iront assurément droit au coeur.

Surveillez nos trois nouveaux titres chaque mois!

La COLLECTION AZUR

Offre une lecture rapide et

 stimulante

 poignante

 exotique

 contemporaine

 romantique

 passionnée

 sensationnelle!

COLLECTION AZUR...des histoires
d'amour traditionnelles qui vous
mènent au bout monde!
Cinq nouveaux titres chaque mois.

L'ASTROLOGIE EN DIRECT
TOUT AU LONG
DE L'ANNÉE.

(France métropolitaine uniquement)
Par téléphone 08.92.68.41.01
0,34 € la minute (Serveur SCESI).

Composé et édité par les
éditions Harlequin
Achevé d'imprimer en août 2005

BUSSIÈRE
GROUPE CPI

à Saint-Amand-Montrond (Cher)
Dépôt légal : septembre 2005
N° d'imprimeur : 51867 — N° d'éditeur : 11531

Imprimé en France